東京バンドワゴン

小路幸也

目次

登場人物

堀田《ほった》勘一《かんいち》　79歳。明治から続く古本屋〈東京バンドワゴン〉の3代目店主。
矍鑠《かくしゃく》としてまだまだ現役。

堀田サチ　勘一の妻。良妻賢母で堀田家を支えてきたが、2年前に76歳で死去。
今は堀田家を空の上から見守っている。

堀田我南人《がなと》　勘一の一人息子。60歳。伝説のロッカーで、今もロック魂は健在。
いつも根無し草のようにフラフラしている。

堀田藍子《あいこ》　我南人の長女。35歳。画家で、未婚の母。おっとりしていて、
謎を秘めた美人。亜美とともに〈東京バンドワゴン〉のカフェを切り盛りする。

堀田花陽《かよ》　藍子の娘。小学6年生の12歳。落ち着いたしっかり者の女の子で、
おじいちゃんである我南人を尊敬している。

堀田　紺《こん》　我南人の長男。34歳。元大学講師。学者肌で落ち着いた性格。
フリーライターを生業としながら、古本屋を手伝う。

堀田亜美《あみ》　紺の妻。34歳。才色兼備な元・スチュワーデス。はきはきして活動的。
両親に反対されながらも堀田家に嫁入りした。

堀田研人　紺と亜美の一人息子。10歳。好奇心旺盛な小学4年生。
心根の優しい男の子。

堀田　青《あお》　我南人の愛人の子。堀田家次男として暮らしてきた。
26歳の旅行添乗員。プレイボーイの長身美男子で、よく女性トラブルを持ち帰る。

祐円《ゆうえん》　勘一の幼なじみ。近くの神社の神主。
息子に後を譲り、悠々自適の毎日を過ごしている。

玉三郎《たまさぶろう》・ノラ・
ポコ・ベンジャミン　堀田家の猫たち。

マードック　日本が大好きなイギリス人。堀田家の近所にアトリエを構え、
版画や日本画を専門とする。藍子に惚れている。

真奈美《まなみ》　近所の小料理居酒屋〈はる〉のおかみさん。藍子の高校の後輩。

大町奈美子《おおまちなみこ》　近所のマンションに住む小学1年生。

牧原《まきはら》みすず　青の嫁に来たといって堀田家に転がり込む。
文学好きの美人で、働き者。

藤島《ふじしま》　28歳の若さでIT企業の社長。無類の古書好きでもある。

茅野《かやの》　定年間近の刑事さん。〈東京バンドワゴン〉に通って十何年の、古書好き。
いつもおしゃれな装い。

人物関係図

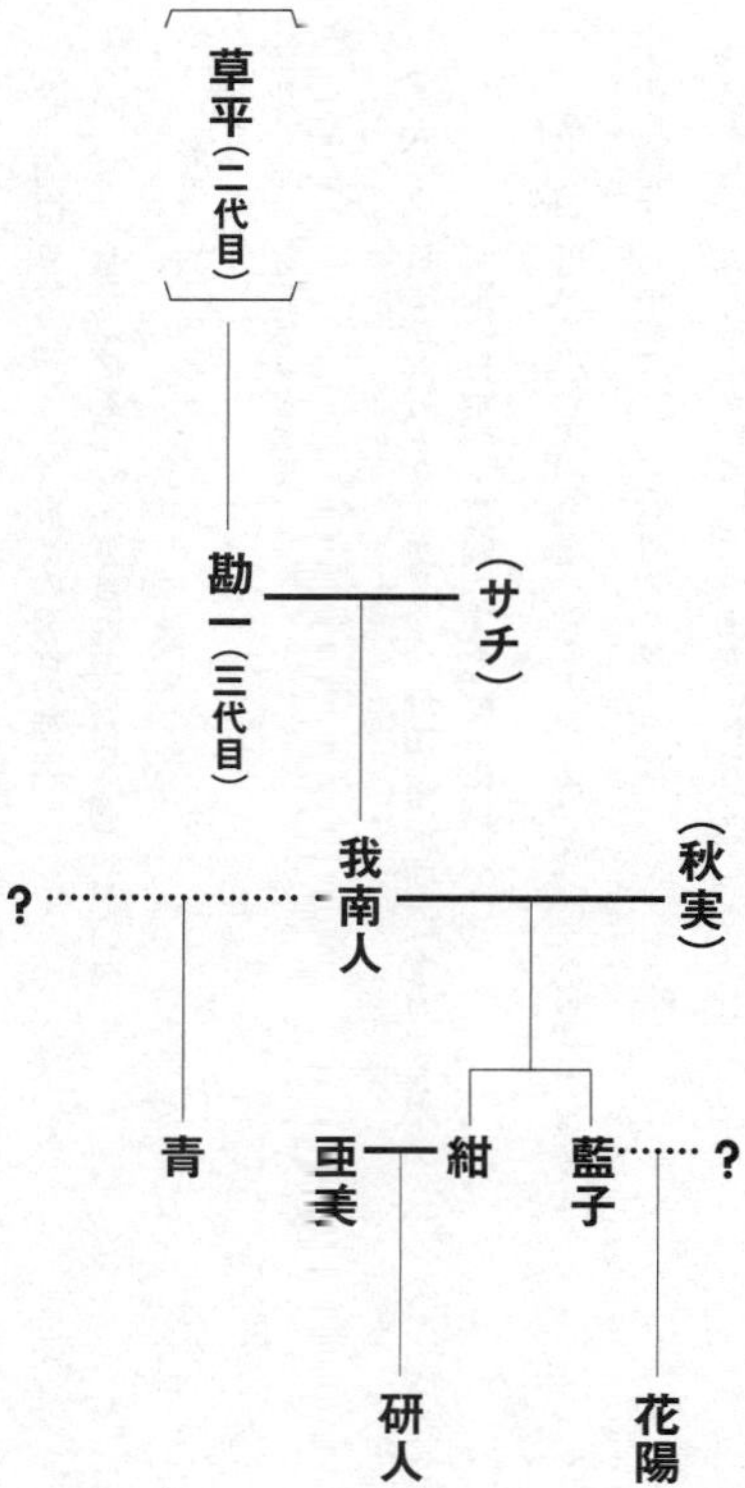
草平（二代目）
勘一（三代目）
（サチ）
我南人
（秋実）
?
青
亜美
紺
藍子
?
研人
花陽

東京バンドワゴン

地の名を言えば土地神が飛ぶと言いますね。

あんまり古くさいばっかりのものを皆さんのところに撒《ま》き散らかすのもね、ご迷惑でしょう。東京のお寺のやたらと多い辺りとだけお伝えしましょう。

駅前の通りこそビルや洒落《しゃれ》た店もありますけど、道一本中に入り込めば、大人三人並んでいっぱいの狭い道路に古びた建物が軒を並べています。中には人一人、もしくは猫がすれ違うのがやっとの路地も当たり前。入り組んだ道や曲がった小路《こうじ》が慣れない方を惑わすこともしょっちゅう。民家も商店も新しいものより、長い年月に煤《すす》けたものが多く眼に付きます。

それでも、古いものには風情《ふぜい》ってものが漂いますよね。苔《こけ》むした塀に壁を這《はらば》う蔓草《つるくさ》や蔦《つた》、軒先に並べられた鉢植えなどが眼を楽しませ、庭の木々の枝も、塀を乗り越え道路の上に張り出して日陰をつくり、香りを振りまきます。

そういう下町の一角、築七十年にもなる今にも崩れ落ちそうな日本家屋の古本屋が〈東京《とうきょう》バンドワゴン〉です。

妙な名前でしょ？　明治十八年の創業当時からずいぶん珍しがられたようだと先代か

ら聞いています。

瓦屋根《かわらやね》の庇《ひさし》に取り付けた金箔《きんぱく》黒塗りの看板は当時の自慢の品だったそうですが、長く風雨に晒《さら》され、今となっては只《ただ》の板きれ。右から左に読むことを知らない若い方が看板を見上げ、「ンゴワドンバなにひがし？」と呪文《じゅもん》のように呟《つぶや》くのを聞くこともありますよ。

所謂《いわゆる》古本を売ることが商いと言いましても、そこはそれ、時代の流れと言いますか。誰かの歌ではありませんが古い革袋にも新しい酒が入るもので、最近はカフェも隣で一緒にやっているんですよ。

けれどもまぁ、要するに古色蒼然《こしょくそうぜん》。ただそれだけが自慢のようなものです。

あぁいけませんね、ご挨拶《あいさつ》が遅れてしまいました。

こうして人様の眼に触れない暮らしをしていますと、ついつい挨拶がおろそかになってしまいますね。

わたしは堀田《ほった》サチと申します。

この〈東京バンドワゴン〉を営む堀田家に嫁いできて六十年。それはまぁいろいろとありましたけどね、年寄りの昔話はまたいずれということで。

皆さんに我が家のお話をさせていただくのですから、家の者を順にご紹介するのが筋というものでしょう。

玄関口を真ん中にして左側が古本屋、右側がカフェとなっていますが、その古本屋のいちばん奥。帳場に座って本を広げ、ごま塩の頭を時折擦《こす》りながら煙草《たばこ》を吹かしていますのが、七十九歳になりました三代目店主の堀田勘一《かんいち》です。

これはわたしの亭主ですが、ご覧の通りでんとした立派な身体《からだ》の持ち主です。確か九十キロもあったでしょうか。高齢にも拘《かかわ》らず頭も身体も実にしゃんとしています。そろそろわたしのところに来て昔話に花を咲かせてほしいのですが、あの様子ですからまだ当分はやってこないのでしょう。それはまぁそれでありがたいことです。

後ろの壁の墨文字が気になりますか？　実はあれは我が堀田家の家訓なのです。

〈文化文明に関する些事《さじ》諸問題なら、如何《いか》なる事でも万事解決〉

明治の頃に新聞社を主宰したものの、当局の弾圧で志半ばで家業を継いだ義父草平《そうへい》が、世の森羅万象は書物の中にある、という持論から捻《ひね》くりだしたものだとか。他にも我が家には義父の書き残した家訓が数多くあります。店の壁のあちこちに貼《は》られた古いポスターやカレンダーを捲《めく》りますと、いろんな家訓が現われます。

曰《いわ》く。

〈本は収まるところに収まる〉

〈煙草の火は一時でも目を離すべからず〉

〈食事は家族揃《そろ》って賑《にぎ》やかに行うべし〉

〈人を立てて戸は開けて万事朗らかに行うべし〉

まだあります。トイレの壁には〈急がず騒がず手洗励行〉、台所の壁には〈掌《てのひら》に愛を〉。本棚の後ろになってしまい、メモでしかわからないものもあります。

こんな時代にそんな家訓云々《うんぬん》はどうかとは思いますけど、我が家の皆は老いも若きもそれをできるだけ守ろうとしているんですよ。

さて、右側のカフェの方をどうぞ。

カフェと言っても物置代わりだった部屋と土間の壁や床板を取っ払い、小さな横庭と繋《つな》げたスペースに、掻《か》き集めたテーブルと椅子《いす》を並べただけの手作りのお店です。家との境に設けたカウンターでコーヒーを淹《い》れたり、その裏でパンを焼いたりしているのはわたしの孫の藍子《あいこ》と、孫の紺《こん》のお嫁さんの亜美《あみ》さんです。

カフェをやりましょうと言い出したのは亜美さんでして、これが元は国際線のスチュワーデスという、実に華やかな笑顔の才色兼備な娘さんです。もちろん接客に関してはお手の物でして、どちらかといえば物静かでおっとりしている藍子を引っ張って、店を切り盛りしています。カフェの壁には画家でもある藍子の作品が並んでいます。身内の贔屓目《ひいきめ》でしょうが、瑞々《みずみず》しさに溢《あふ》れたいい絵を描いています。

あぁ、目立つでしょう？　カウンターで新聞を読んでいるあの金髪の男は、わたしの一人息子の我南人《がなと》です。

また身内贔屓と思われるでしょうが、我南人は「伝説のロッカー」などと呼ばれ、金髪で長髪で長身のその姿はいまだに何かと世間様を騒がせているようです。

今日はああして家でのんびりしていますが、六十になったというのにあちこちをふらふらしてまるで一所に落ち着きません。

そんな放蕩《ほうとう》息子は放っておきまして、入口正面の階段を昇って二階の方へどうぞ。

あぁ、その一段目は飛ばして上がった方が無難ですね。

二階の一室では、孫の紺が煙草を吹かしながらキーボードを叩《たた》いています。以前は大学で講師などしていたのですが、なんですかどうしたこうしたで辞める羽目になり、今はフリーライターなるものを生業《なりわい》にしています。ですがあんまり稼ぎは良くなく、亜美さんがカフェを開いたのもその辺りの事情もあるんですよ。

自分の部屋でベッドに寝そべって漫画を読んでいるのは、もう一人の孫の青《あお》。旅行代理店と契約する旅行添乗員です。いつも皆にお土産《みやげ》を買ってくる心根の優しい子なんですが、困ったことに自分の女性トラブルまで持ち帰ってきます。青に会いたいと言ってはるばる遠くからやってくる女性をなだめて帰すのも、堀田家の日常になっているんですよ。

長くなってしまいましたね、もう少しだけお付き合いください。

そろそろ夕方、家の前の道路の向こう側から楽しそうな声と軽やかな足取りが響いてきます。学校帰りの子供達がたくさん〈東京バンドワゴン〉の前の道路を歩いていきます。

その中に、交じってはしゃいでいる曾孫《ひまご》の花陽《かよ》は藍子の一人娘。そして研人《けんと》は紺と亜美さんの一人息子です。

元気盛りのやんちゃな小学生で、花陽は六年生、研人は四年生になりました。いとこ同士になるのですが、ずっと一緒に暮らしてますからもうほとんど姉弟みたいなもんですね。今もあのようにじゃれあって騒いでいますが、本当に仲の良い二人です。ろくでもない親を持つと子供は云々と言いますが、藍子も紺もどちらかといえば浮世離れしています。そのせいか二人とも実にしっかりしてて、将来が楽しみです。

最後にわたし、堀田サチは、実は一昨年《おととし》七十六で皆さんの世を去りました。どういうわけなんでしょうかねぇ、孫や曾孫の成長を人一倍楽しみにしていたせいでしょうか、今もってこうしてこの家に留《とど》まっています。勘一の元に嫁いで随分と楽しい思いをさせてもらいましたけど、これもまた一興と言うものでしょうか。

そうそう、紺は人一倍勘の強い子で、わたしがまだこの家でうろうろしているのがわかるようです。時たまですが、紺は仏壇の前に座り、わたしと二人だけで会話を楽しむこともあります。まるで大昔の電話のように、途切れたりどちらかの一方通行になったりなんですが、それもまた楽しいひとときです。その血を受け継いだのか、紺の息子の研人も話はできないものの、ふとした拍子にわたしの存在を感じているようです。

こうやってまだしばらくは堀田家の、〈東京バンドワゴン〉の行く末を見ていたいと思います。よろしければ、どうぞご一緒に。

春

百科事典はなぜ消える

一

猫の額程度の庭の隅に、梅と桜の木があります。春になるとまるで唄《うた》の文句のように順に花を咲かせて眼を楽しませてくれるんですよ。桜は幹こそ我が家の庭ですが、張り出した枝は低い板塀を越えて二軒分のお隣さんにも桜色の花びらを届けます。路地もその時期だけはほんのり桜色で、どこか薄ぼんやりしていますね。

花びらは風情《ふぜい》があっていいものですが、これが秋になると落ち葉を撒《ま》き散らかして雨《あま》樋《どい》を詰まらせたりもするので大変です。人情味溢《あふ》れるこの辺りですけど、最近ではそれがささいなトラブルになることも。

幸いにも我が家は向こう三軒両隣、祖父の代から延々と続くお付き合いなので、季節の草花木々の移ろいは当たり前、落ち葉もまた風情とお互いに楽しんでいます。

梅の下の方には沈丁花《じんちょうげ》、桜の下には雪柳と、これまたいい具合に花を咲かせて、我が家の春の庭はつつましくも賑《にぎ》やかに立ち上がっていきます。


そういう春も半ば過ぎ、四月の終わり頃の朝です。

毎日のことですが、堀田家の食卓はこれがもう本当に賑やかで。

古本屋の側の奥にあります畳敷きの居間の座卓は、大正時代からあると言います欅《けやき》の一枚板。丈夫なのはもう折り紙付きだけど重くて重くて、お掃除のときに動かすのは一苦労でしたね。

白いご飯におみおつけ、菜の花の胡麻《ごま》和《あ》えに昆布とじゃがいもの煮付けに目玉焼き、焼海苔《やきのり》と豆腐にじゃこをかけたものにおこうこが女性陣と子供たちの手で並べられて、全員座って「いただきます」です。

いつものように上座には勘一がどっかと座り、その正面には我南人。そして手前側に子供たち、縁側の方に紺と女性陣。青は子供たちの側に座りますが、一週間ほどハワイに行ってますね。壁に掛けられたカレンダーには、明日に丸印が付けられて〈青帰る〉とメモしてあります。研人がご飯を頬張《ほおば》りながら、丸い眼を細めるようにして見上げました。

「明日だよね？　青ちゃん帰ってくるの」

「そうね。あ、お祖父《じい》ちゃん、それソースです」

「青となんか約束したのか？」

「ソースぅ？　おいおい、もう焼海苔にかけちまったぜソース」

「青ちゃん、ハワイで海外版のカード買ってきてくれるって」

「まずそー」

「入れ物、昨日割っちゃったので取り換えたんですよ」

「花陽ちゃん、お味噌汁《みそしる》のネギ残しちゃ駄目よ」

「カードって何のカードだ」

「でもネギってさぁ、焼くと美味《おい》しいけど、ただ温まってるだけだとマズくない？」

「マジックペンどこにあるよ？」

「茶簞笥《ちゃだんす》の真ん中の引き出しにありますよ」

「MTGのカードだよ」

「研人ぉ、MTGってなにぃ？」

「お祖父ちゃん！　マジックで〈ソース〉って書かないでください！」

「書いとかねぇとわかんねぇじゃねぇかよ。誰だよ！　ソースと醬油《しょうゆ》の入れ物を同じやつにしたのはよぉ！」

「私です」

藍子ですか。勘一はむむぅと黙り、そのままソースのついた海苔でご飯を挟んで口に運びました。どうも藍子はそういうところが抜けていて困ったもんです。

「ま、洋風でおつなもんだ」

いくらなんでも不味《まず》いでしょうに。孫には甘い勘一です。

まぁこのように必ず誰かと誰かが喋《しゃべ》っています。静かになるのは全員が偶然同時に何かを口に運んだときだけで、どういうわけか大抵はおみおつけですね。


午前七時過ぎ。ガタガタと引き戸を開けますと、そこにはもう十人ばかりの常連さんが待っていまして、おはようさん、という声が飛び交います。

「おはようございます！」

亜美さんの明るい声が響いて、古本屋もカフェも一緒に開店です。我が家の前の小路《こうじ》は駅に続く近道になってましてね、朝早くは人の行き来がやたらと多いんですよ。

待ちかまえているのはほとんどがわたしとも馴染《なじ》みのご老体ばかりですが、中にはこれから出勤なさるサラリーマンの方、まだ眠そうな眼を擦《こす》っている学生さんもいます。

カフェを始めまして六年。ついでだからと古本屋の方も開けるようにしましたが、そうすると、店先に並べた五十円とか百円の文庫本などを、通勤電車の中で読むのでしょうかサラリーマンの方が買っていき、意外と馬鹿にならない商いになっています。

中にはカフェでだけ読んでいきたいから、貸本にしてくれと言う方も。高い本は買えないけど、どうしてもその本を読みたいと言う読書好きの気持ちですから、家訓を守る勘一は一回五十円などとその本の価値に応じて決めているようです。

「おはようさん」

積んである古雑誌をひょいと持っていくのは、勘一の幼馴染みの祐円《ゆうえん》さん。近くの小さな神社の神主さんで、お子さんに後を譲り、ご本人は悠々自適の毎日。

そうそう、この間、また祐円さんが連れてきた猫の名前はベンジャミンと言います。二丁目の初美《はつみ》さんの飼い猫だったのですが、初美さん、体調が悪くなりましてお子さんの家に移ることになり、泣く泣く愛猫を手放すことになったとか。神社の境内にも猫達が多く住み着いていますが、初美さんは半ノラにはしたくないと涙ながらに祐円さんに訴え、祐円さんは我が家にベンジャミンを連れてきたのです。

同じようにご近所さんの飼い猫だった玉三郎《たまさぶろう》とノラとポコ、そしてベンジャミンと、我が家には四匹の猫がそこらでごろごろしているんですよ。

あら、慣れないお客さんがいらっしゃいますね。店に入ったはいいけど、藍子も亜美さんもカウンターの奥にいて気づきません。お若い女性の方が大きな鞄《かばん》を抱え、空いてる席に座ろうかどうか迷ってます。

「お姉さん、ここはね、全部勝手にやるんですよ」

あぁすいません祐円さん、ありがとうございます。

「水はそこだし、注文はそこのメニュー見てそこのメモ用紙に書いて、ついでに名前も書いてそこにピンで貼《は》っておきなさいな。できたら声が掛かりますからね」

さすが神主ですから人当たりも笑顔も柔らかです。若い女性が祐円さんに頭を下げて、祐円さんもにんまりと笑顔を返します。

「あぁどれどれ、どうせなら儂《わし》が書いてやろう」

カウンターでメモを書こうとしたお嬢さんの肩越しに祐円さんが手を伸ばしました。ついでに鼻の下も伸びているのは気のせいでしょうか。

それにしても祐円さん。神主なのにわたしの姿が見えないというのはどうでしょうねえ。見えないばかりか、わたしの葬儀では「ちゃあんと極楽浄土へ行ったさ」などと真面目《まじめ》な顔で言ってましたがそれは仏教じゃありませんか。

「あの」

「ほいよ」

「こちらの、方でしょうか」

「こちらっていやぁこちらみたいなもんですけどね」

「堀田青さんのお宅は、こちらですよね？」

青と言われて祐円さん、ぴたりと動きが止まります。

「青ですか」

「青さんです」

どうやらまた青の関係のお嬢さんですか。祐円さんが仏頂面で奥に声を掛けました。

「おーい！　青の野郎にお客様！」

モテる男性にはとことん冷たい祐円さんです。神主のくせに心が狭いですね。

ベンジャミンがにゃあと一声鳴きました。祐円さんがひょいと抱き上げそのまま勘一の座る帳場の横に上がり込みます。

「ったく世の中ってのはどうしてこう不公平なのかね」

「なんでぇいきなり」

「なんで青ばっかりモテるのかってことだよ」

勘一がかっかっかと笑います。

「そりゃおめぇご面相が違うからよ」

その通りです。祐円さんまるで子供みたいに口を尖《とが》らせます。噂《うわさ》では昔は随分とモテたと聞きましたが、神主のくせにまだ女性にモテたいのでしょうか。

「話は変わるけどね勘さん、こないだ会合で出ただろう、夜回りの昼回りの話」

「あぁ出たな」

「老人会の方でもね、さっさと当番を決めてやりたいって話でね。なんだったらもう明日からでも腕章着けてどうだろうって」

この辺りでは毎夜毎夜交代で〈火の用心〉の夜回りをするのが当たり前ですが、それを昼間にもやろうと言うんでしょう。

我が家の玄関の正面は右曲がりの路地になっていまして、そこを挟んで右側が畳屋の常本《つねもと》さん、左側は〈赤月荘《あかつきそう》〉というアパートになっています。

その昔は〈赤月〉さんという小間物屋さんだったのですが、何年前だったでしょうね。もう二十年になりますか。廃業されて、今はアパートの大家さんです。愛想なしですまないからと、赤月さんはアパートの脇《わき》にずらりと鉢植えを並べています。蔦《つた》もいい具合に年を重ねて壁に匍《はらば》って伸びており、今では窓以外の一面を覆うほどにもなっています。

がらがらとガラス戸の開く音がして、お向かいの畳屋の常本さんが店開きをしたようです。そのままこちらの方に歩いてきて、勘一と祐円さんに声を掛けます。

「おはようございます」

「あぁおはようさん。いい天気だね」

常本さんもここで三代続く畳屋さん。御主人の幸司《こうじ》さんは、確か勘一より十ばかりも下でしたよね。いくつになったのでしょうか。一時は三代目でもう終わりと言っていたんですが、なんですか次男の方が会社勤めを辞めて家を継がれるのだとか。

「ちょうどいいや常さんもな。夜回りの昼回りだけどね」

常さんも交えて男三人で話し込み始めました。

店が賑やかになるのと同じ頃に、正面の右曲がりの路地やらそこここから現われる子供たちで、道路も賑やかになります。

花陽と研人も鞄を手に玄関を出て、藍子や亜美さんや勘一にいってきまーすと声を掛け、やってきた同級生に合流します。

「おはよう！」

毎朝毎夕、こうして元気な子供たちの姿を見られるのは、それだけで気持ちが和み、頬が緩むものですね。

昨今はどうしたもんでしょ、子供たちを巡る嫌な事件が多くて胸が痛みます。この間も変質者の類《たぐい》が現われたとかで、小学校からプリントが回ってきました。いきなり腕を摑《つか》まれて車に引きずりこまれそうになった花陽の同級生もいるようです。いつまでも平和であってほしいこの辺りですが、そう上手《うま》くはいきっこないですねぇ。

それでも、このように子供たちは元気です。この姿をいつまでも守り、見続けていたいものです。

＊

「お待たせしました」

居間の座卓に先ほどのお嬢さんが座っています。紺と亜美さんが一緒にやってきてその向かい側に座りました。

「青は今ハワイに行ってましてね。しばらくは帰ってこないんですが」

ちらっと紺がカレンダーの方を見ましたが、誰が外したのかそこにはもうカレンダーはありません。阿吽《あうん》の呼吸ですね。お嬢さん、なんですか息せききって話し始めます。

「私、この間、青さんの添乗してくれた旅行で一緒になって」

「そうですか」

軽く紺が答えます。驚きませんよ。今までに何人こうして帰してきたことでしょう。

青曰《いわ》くです。

「そりゃあこっちは仕事だから楽しく過ごしてもらおうと思って精一杯の笑顔でサービスするよ。甘い言葉も掛けますよ。リピーターを増やしたいからね。でもね、そんなんで旅先で添乗員に恋しちまう女なんて思い込みの激しい淋《さび》しい女と相場が決まってるんだよ。そしてそういうヤバい女はすぐわかる。絶対に関係なんか持たないって。個人的にも会社的にも危なくてしょうがない。だからもし俺《おれ》とどうにかなったって女が来るようなら、それはもう完全にアブナい女なんでさっさと追っ払っておいて」

同じ女としては頭をこづいてやりたくなるような発言ですが、確かにまぁ一理ありますね。さて、このお嬢さんはどうでしょう。

「それで、その旅行で、青さんと、そのお付き合いするっていう約束をして、それで一度ご挨拶《あいさつ》にと思って」

紺が右手のひらを広げて、止めました。

「えーとですね、僕は、青の兄なんですが」

「お兄さん！」

「いやそんなに嬉《うれ》しそうにしないでください」

「はぁ」

「この横にいるのが、実は青の奥さんなんですよ」

「奥さん！」

お嬢さんの口がぱくんと開きっぱなしになりました。もちろんこれも手慣れた嘘八《うそはっ》百《ぴゃく》。亜美さんは少しも慌てず騒がず、居住まいを正して厳しい顔つきのまま頭をすっと下げます。

「堀田青の家内の亜美です。はじめまして」

亜美さんには悪いですけどね、華やかな顔立ちの亜美さんが厳しい顔つきをしますと本当に怖いんですよ。近所では『極道の妻たち《おんな》』の岩下志麻さんより怖いと評判です。

そして、大抵はここで相手の女の方は撃沈しちゃうんですよ。

申し訳ないですけど、このお嬢さん、わたしが見ても青の言うように思い込みの激しい感じですよ。何よりあれでしょう、青が留守なことも知らないで訪ねてきて、お付き合いを約束したと言われてもそれは信じられませんよねぇ。

青も常々言っています。お付き合いを始めたときにはちゃんと報告するからと。ちゃらんぽらんなように見えてそういうところはちゃんとした子ですから。

「でも、青さんはそんなこと一言も」

「ねぇ、こうやって青を慕って訪ねてくれるのは、まぁいいんですけど、こう言ってはなんですけど、あなた別に青と約束したわけでもなんでもないんじゃないですか？」

紺に言われてお嬢さんは口をつぐみます。

「〈東京バンドワゴン〉っていう古本屋をやってる。カフェもあるから近くに寄ったらどうぞって言っただけでしょ？」

お嬢さん、こくんと小さく頷《うなず》きました。

「あの通りね、青はやたらモテるもんだから、あなたみたいな方がけっこう来るんですよ。申し訳ないですね。あいつも悪気はないんですが、悪いこと言わないからあんな不誠実な男にはとっとと見切りつけて、ね？　まぁせっかく来たんだからコーヒー飲んで」

かわいそうにお嬢さんは少し肩が震えているようにも見えますね。ずっとキツい顔の演技をしている亜美さんも疲れたのか、どうやらこれで大丈夫と顔の筋肉を緩めます。

紺もやれやれともう一度声をかけようとしましたが。

「……なによ」

「何か言いました？」

「なによって言ったのよ！」

突然、お嬢さんが髪を振り乱してすごい勢いで立ち上がったもんですから、紺と亜美さんが思わずのけぞります。

「何が奥さんよ！　そんなことひとっことも言わないし！　さんざん愛想振りまいておいてこれ？　私が何したっていうのよ！　先祖代々続く自慢の商家って、商家って、この」

だだーっと走って古本屋の方に向かいます。

「このボロボロの古本屋!?　なによこんなものぉ！」

そこらに積んであった本を蹴飛《けと》ばすわ投げ捨てるわ盛大にばらまき始めます。いつもは誰彼構わず怒鳴りつける勘一も、そのあまりの豹変《ひょうへん》ぶりにあっけにとられています。

「邪魔よ！　この汚い本どもぉ!!」

店を出ようとして本にけつまずいて、また本をばらまきます。祐円さんが止めるのと転んだのを起こそうとするのを同時にしようとしましたが。

「触るんじゃないわよ変態ジジィ!! 後ろから息吹きかけるんじゃないわよ変態ハゲ!! こんな家、二度と来るもんですか!!」

そう言い放って出ていってしまいました。祐円さんがポカンと口を開けています。その後ろで勘一が眼を見開いて見送ります。

「……変態ジジィって」

「エロハゲとも言ってたぜ」

「そうは言ってないだろ!」

「あ、これ、鞄!」

紺がお嬢さんの鞄を抱えると慌てて後を追いかけます。

まぁそれにしてもすさまじいお嬢さんでしたね。亜美さんがふぅと溜息《ためいき》をつき、首を二度三度振りました。いつものこととはいえ、ご苦労様です。

わたしが生きていた頃はね、こうやってお引き取り願うのはわたしの役目だったんですよ。亜美さんも本当ならやりたくないですよねぇこんなこと。

今さらですけど、亜美さんもこんな家によくお嫁に来てくれましたよ本当に。実は亜美さんのご実家はそれはまぁ格式の高いお家なのです。紺との結婚を猛反対されて、十年経った今も断絶状態にあるのですよ。直接の原因は我南人にありまして、私が生きているうちになんとかしてあげたかったのですけど、本当にごめんなさいねぇ。

勘一がやれやれと首を振りながら、ばらまかれた本の整理を始めました。さてこの本はどこに入れるべきだったかと思案しながら整理しています。いかに頑強な精神と肉体の持ち主とは言っても、もうじき八十ですからね。近頃はいろんなことを中々思い出せないようになって、本人も悔しい思いをしているんじゃないですかねぇ。

「ん？」

なんでしょう。何かに気づいたようです。

「なんでぇこれは」

しゃがみ込んで、何かを凝視しています。店の入口側の端っこの棚の一番下です。抱えていた古本をそこらに置き、よっこいしょと手に取ったのは百科事典。

「新しいじゃねぇか」

顰《しか》めっ面《つら》をして百科事典を眺めます。

「紺が買い取ったのか？」

古本屋の方は勘一と紺がやっていますので、店番も買い取りも整理も二人が分担しています。勘一はあちこちひっくり返して見ていますが、値札が見つかりません。この店で売る本には、我が家の落款《らっかん》入りの値札が付けられるのですが。

「新しいのに二冊だけっていうのは、妙だなぁ」

見ると、大手の出版社が出している百科事典の〈あ〜〉と〈な〜〉の二冊です。ちゃんとケースにも入っています。

勘一は首を捻《ひね》りながらも百科事典を棚に戻し、取りあえず本の整理を始めました。後で紺に確認しようと思ったのでしょう。ですが案の定、整理が終わった頃には、その百科事典のことを忘れていました。

*

朝の賑やかさが一段落し、九時を過ぎると界隈《かいわい》には静けさが戻ります。

お天気も良くうららかな空気が流れ、猫たちも思い思いの場所でのんびりとあくびをします。

我南人がカフェの方でコーヒーを飲みながら新聞を読んでいますね。

これの職業は前にも申しましたがロックンローラーです。家に居るときは、ああしてコーヒーを飲むかギターを抱えジャカジャカやっているか、あるいは寝ているか猫をいじっているかと、まるで御隠居のような暮らし向きです。

今日は青が家に居ませんが、我南人と青が顔を合わせると、朝から一戦交えることもあるんですよ。そりゃあもうお恥ずかしいことに、ご近所でも有名な大喧嘩《おおげんか》です。ロックンローラーは体力勝負だそうで、鍛えられた身体《からだ》はいまだに筋力を感じさせますし、青は身長一八〇でサッカーで鍛えた体力の持ち主です。二人の摑み合いは老獪《ろうかい》さと若さがまさに竜虎相搏《りゅうこあいう》つといった様相でして、誰も止める術《すべ》を持ちません。喧嘩の原因自体はささいなものなんですが、根は深いと言いましょうか。

実は、青のお母さんは、我南人の愛人さんでした。

ですから、青は、藍子と紺とは異母兄弟。愛人さんという方は、我南人の話では青を産むとすぐにどこかへ行ってしまったそうで、わたしたちはどこのどなたか皆目わかりゃしません。青を不憫《ふびん》に思い、また後々面倒なことになるといけないと、探すように我南人に言ったのですが、今になるまでどうなったことやら。

そういう事情があるものの、青は藍子と紺とは実の姉弟よりも仲良くやっています。

我南人の嫁だった秋実《あきみ》さんは、内心は計り知れませんが、青を我が家に受け入れ三人に分け隔てなく愛情を注ぎ育てあげましたので、大した嫁だったと感心しています。

秋実さん、残念なことに五年ほど前に急な病で亡くなってしまいました。そのうちにどこかで会えるかと期待しているんですが、どうでしょう、あの世に来てまで姑《しゅうとめ》とは会いたくないでしょうかねぇ。

けれども、あれですね。我南人が家に居つかずふらふらしているのも、実は青がこの家でのんびり過ごせるように、あんまり顔を合わさないようにと気を使っているのかもしれません。我南人がふらっと出て行くのはどういうわけか決まって青が家に長くいるときなのですよ。

青は生まれのせいなのか、人一倍家族が過ごすこの家というものを大事にしていますから、我南人なりの優しさなんでしょう。

「よおぉー」

どなたでしょう。我南人が声と手を同時に上げ、それに合わせて店の前でお辞儀をした方がいます。隣に座れと我南人が指し示しました。

「これから仕事ぉ？」

我南人の声というのはまた独特の声でして、甲高いくせに嗄《しゃが》れています。おまけに地声が大きいですから、本人はただ普通に喋っているだけなのに妙に目立ってしまいます。

「いえ、仕事はもう朝からでして、九時から三十分だけ休憩時間ですね」

「そおぉ」

年の頃は我南人と同じぐらいでしょうか。どこかくたびれた印象がありますが温和な顔立ちの方で、わたしは初めて見るお顔ですね。藍子がコーヒーを持ってきました。

「これ、僕の娘ぇ」

「これは、どうも」

お客さんが顔をほころばせます。

「僕のファンのぉ、ケンちゃん。こないだまでホームレスだったんだよぉ」

ああまた。そういうことは大声で言うことではありません。

「お父さん、そんなことを」

「いいのいいのぉ。そこから努力して今は立派に社会復帰したんだからねぇ。ねぇ？」

悪気はないとはいえ、我が息子ながら本当に無神経です。その方も苦笑して頭を掻《か》いています。藍子も加わって少し話をされていましたが、何でも最近になってこの近くで働かれるようになり、偶然我南人を見かけて驚いたとか。我南人がまだ二十代の頃からのファンだったそうですよ。

「昔の血が騒ぎました」

そうおっしゃって笑っていますから、きっと同じような音楽をやられていたのでしょう。そういう方も多くこの店に来ていただくのですが、本当にありがたいことですね。不肖の息子ですけど、少なくとも多くの方に愛されている音楽をやっていたというのは確かなようです。

＊

お昼時を過ぎまして、もう三時を回っています。

藍子と亜美さんがカウンターに座ってひと休みしています。わたしもその隣に腰掛けまして、ちょいとお仲間にいれてもらいましょう。

この二人は年が一つしか違いません。藍子はよく言えばおっとり、悪く言えばぼーっと抜けていて、最近は天然ボケなどと言うんですね。そういう藍子と、はきはきとして活動的で明るい亜美さんは初めて会ったときから気が合っていましたね。

今はそれぞれに花陽と研人の母親同士。それこそまるで姉妹のようにいつも二人で楽しげに話をしています。二人とも背が高くてなかなかの別嬪《べっぴん》さんですから、店を切り盛りする様子もそれだけで絵になりますね。

わたしもねぇ、生きてるときにはこの二人と一緒にカフェを手伝ってまして、ランチなどはね、おふくろの味などとメニューを出してお総菜を作っていたんですが。今となってはこうしてただ見ているしかできません。そういう淋しさにも最近は慣れましたけどね。

「豆腐作ってみたいわね」

「豆腐ですか？　難しいんじゃないですか？」

「そうでもないみたい。形にこだわったりしなければ意外と手軽にできて、美味しいみたいだし。この間、〈杣《そま》や之《の》〉のおばあちゃんに聞いたんだけど」

二丁目にあります染め小物の店の〈杣や之〉のかこえさんでしょうね。そういえばしばらく顔を見ていません。後で覗《のぞ》いてきましょうか。わたしより十も年下でしたから、まだまだお元気なはずです。

「でも杉田《すぎた》さんに失礼かなぁ」

そうですねぇ。真裏に豆腐屋があるっていうのにここで手作り豆腐はねぇ。

「杉田さんに教えてもらって、原材料を仕入れるとか」

「杉田さんに、うちオリジナルの豆腐を作ってもらうとかできるかな」

それはできるかもしれませんね。商売は相身互《あいみたが》い。仲良くやっていくのが基本ですから。

「ただいまー！」

元気な声が響いて、研人が帰ってきました。亜美さんも藍子もお帰りなさいと笑顔で迎えます。

「プリント、あったら出してね」

「わかったー」

研人はなかなかの洒落者《しゃれもの》でして、ランドセルを背負っていたのは一、二年生のときだけで、今は自分で我南人の古い鞄を引っ張り出して使っています。もう色も変わってしまった革製のもので、わたしから見るとみすぼらしい感じもするのですが、まぁ本人が好きなのですからしょうがないでしょう。

その鞄から紙切れを何枚か出すと家の中に入っていきました。〈保健室便り〉ですとか、そういう学校からの連絡の類のものです。その中に〈おやじの会の御案内〉というのもありました。PTAのお父さん達の作る会合のことですね。

亜美さんがそれを見て、それから藍子も見て、二人でちょっと微妙な表情をします。

「花陽ちゃんも持って帰ってきますね」

「そうね」

「いろいろ考える時期なんだろうなぁ」

おやじの会ですか。そうですねぇ。

実はですね、藍子に夫はいないんですよ。死別したわけでも離婚したわけでもなく、花陽の父親はいったい誰なのかわたしたちにはわかりません。藍子は一人で産んで一人で育てています。シングルマザーとかいうんですよね最近は。

大学卒業を控えて妊娠がわかったときにはそれはもう大騒ぎで。けれども、いちばん騒がなければならないはずの、藍子の父親である我南人は、例によって高いガラガラ声で平然とこう言い放ったものです。

「納得済みかぁ」

それに藍子は毅然《きぜん》とした顔で「はい」と答えました。何秒か見つめ合った後に我南人は言いました。

「じゃあぁ、頑張って可愛いベイビー産んでねぇ」

それで話は終わりです。それだけですよ？　まぁ我が息子ながらロックンローラーという人種はなんと変わっているものかと感心するやら情けないやら。

わたしと勘一がいくら問い詰めても、藍子は父親が誰かを言おうとはしませんでした。そういう頑固さは、なんですか堀田家の血筋なんでしょうかね。

それでも、産まれてくる子には何の罪もありません。わたしと勘一にとっては初曾孫《はつひまご》だった花陽は、多少小さめでしたが元気に産まれ、それはもう大切に皆に愛されて育っています。我南人も表面にこそ出しませんが、孫達を大切にしています。花陽も年中ふらふらしている変なおじいさんなのにどういうわけか誰よりも尊敬しているようなんですよ。

学校行事などでお父さんの存在を必要とするときには、祖父である我南人や、叔父《おじ》さんである紺や青や、ときには勘一も出張《でば》っていきます。男手はこれだけありますので不自由はないんですが。

＊

「百科事典？」

「おうよ」

午後七時半。晩ご飯の時間です。少々遅いのですが、家族全員ができるだけ揃《そろ》って食べるのが堀田家の家訓です。古本屋の方もカフェの方も七時過ぎには閉店しますので、ゆっくり食べるためにこの時間になっています。

ようやく勘一は思いだしたように紺に言いました。

「おめぇ最近百科事典を買い取ったか？」

「いいや？」

「俺の知らねぇ百科事典が二冊よ。棚にあったぞ」

「どこに？」

「入口のすぐんところの一番下だ」

知らないなぁと首を捻りながら、紺はサンダルをつっかけて棚を見に行きましたがすぐに戻ってきます。

「ないよ、そんなの」

「んなことあるかい。あったってよ」

今度は勘一も立ち上がって店に降りました。その後に紺が続きます。

「ないだろ？」

あら、本当ですね。わたしも確かに見た百科事典が二冊ともありません。勘一はむむぅと唸《うな》って首を捻ります。

「惚《ぼ》けてきた？　頼むよじいちゃん」

　憎まれ口を叩《たた》いて笑う紺に、勘一はさらにむむぅと唸って何も言い返せません。まだ惚けてません、確かにありましたよ、と言ってあげたいところですが亭主のくせにわたしの声が届かないのですから困ったもんです。

　さてそれにしても、妙ですね。

　わたしもいよいよ惚けてきたのかと思いましたが、死んでしまっては惚けようもないでしょう。

　とっとっと、とサンダルの音をさせて研人が降りてきます。

「大《おお》じいちゃん、ここ？」

「おうよ。そこだ」

　話を聞いて好奇心が湧《わ》いたのでしょう。研人がしゃがみ込んで棚を見ています。

「あれ？」

　研人が上下逆さまになった本を手に取りました。児童書です。そういえばここの棚は児童書を中心に置いています。一番下ですから、子供たちが自分で手に取れますしね。

　さて、どうでしょう。勘一や紺が逆さまに本を入れるはずがありません。お客さんがしてしまうことは考えられますが、古本屋にいらっしゃる方は、相当の本好きばかりです。普通はしないでしょうね。

研人がちょっと首を傾《かし》げながら、本の上下を直して棚に収めました。妙なこともあるものですが、これ以上はどうしようもありません。千里眼でも身に付いてくれれば良かったんですが、あいにくとねぇ、わたしにできることといえば、身体がなくなったせいか、ひょいひょいと高いところに昇れるぐらいなんですよ。

二

次の日。土曜日の朝です。

もちろん学校はお休みです。研人が朝ご飯を食べ終わると、そのまま古本屋の方へ顔を出しました。帳場の上がり口に腰を掛け、足をブラブラさせながら表を見ています。外に何かが見えるのでしょうか。その隣に座ると、ふいに研人がわたしの方を見て、小首を傾げてにっこり笑いました。居るのがわかったんでしょうかね。わたしも思わず笑顔になります。

「なにしてんの？」

花陽が声を掛け、研人が振り返りました。

「んー、別に」

「なんか待ってるんじゃないの？」

花陽が研人の横のわたしの居るところに腰掛けました。そうなるとわたしはどうしたものか正座したますーっと押し出されて宙に浮くのです。もちろん身体がありませんので落ちることはありません。そのままよっこいしょと二人に向き直ります。宙にいたまま座れるというのはなかなか気分良いものですよ。

花陽は勝ち気で男の子にも負けない女の子ですが、それ以上によく気のつく女の子です。将来はきっと気っ風《きっぷ》の良い女になるに違いありません。

「待ってるってわけじゃないんだけどさ」

「うん」

「花陽ちゃん、気がつかなかった？」

「何を？」

「一年生の女の子がさ、最近よく家に来るんだよね」

「一年生？　どこの子？」

「あっちの通りの角の古いマンション」

「あぁ」

大通りの方にありますね。建てられて二十年近くは経つかもしれません。もうすっかり古くなってしまって、くすんだ外観はあんまり見映えのいいものではありません。そういえば、確か配管も古くなっていろいろと管理の方で問題があるとかないとか。そんな話を聞いたことがあります。

「そこの子だと思うんだ」

「それで？」

「それでって、それだけなんだけど」

「別にいいじゃない一年生で店に来たって。お客さんなんだから」

違うよ、と研人は口を尖らせました。

「朝さ、学校に行く前に店に寄るんだ。パッと入って、ちょっと居てすぐに出て行くんだ」

「万引きでもしてるとか？」

「違う、と思うよ。でも、最近いっつもなんだよね」

「最近っていつから？」

研人が腕を組んで考えました。

「えーとね、ほら入学式の後、一週間は一年生を連れて登校するじゃん。それが終わったぐらいからかなぁ」

「ふーん」

それはわたしも気づきませんでしたね。朝はカフェの方でばたばたしていますし、小さい子がひょいと入ってきても、棚で一杯の古本屋の方では見えないかもしれません。

花陽の唇がへの字になりました。ああいう顔をしているときは、何かを思いついて考えているのです。形の良い丸い瞳《ひとみ》はなかなか魅力的で、将来は美人さんになると思うのですが、また身内の贔屓目《ひいきめ》ですね。

「ねぇ」

花陽がにこにこしながら研人の肩を抱いてぐいっと引き寄せました。あぁこうするのは花陽が何かを思いついて、研人を巻き込む前兆です。

「なに？」

よくわかっている研人は、ちょっと身体を引きながら答えます。

「月曜日、ちょっと早く出るから朝ご飯さっさと食べてよ」

＊

我が家の一階には居間と仏間と台所に風呂トイレ、それに離れのように廊下で繋《つな》がった書斎があります。わたしが生きていた頃には、勘一と二人で仏間を寝室にしてましたが、面倒臭《めんどくせ》ぇと書斎に布団を持ち込み、そこが勘一の寝床になってしまいました。本を広げたまま机に突っ伏して眠ることも多く、亜美さんが必ず見回っています。

二階の二間続きの部屋を紺と亜美さんと研人が使い、八畳間は青の部屋、十二畳の部屋を藍子と花陽が使っています。もっとも、花陽と研人は納戸を紺と青に日曜大工で改造してもらい、二段ベッドと机を作り付けて、自分たちの部屋にしています。いずれそれぞれ一人の部屋が欲しいとなったら、また日曜大工で改造するのでしょう。その頃には研人も手伝えるでしょうね。

夜も十時を過ぎまして、勘一は祐円さんと夜回りに出かける支度、紺は帰ってきた青と居間で軽くビールを飲みながらバックギャモンというゲームをしています。青が帰ってくるとよく二人でこれをやっています。

藍子と亜美さんは台所で明日のカフェの仕込みです。慣れたもので二人であれこれと話し合いながら手際よくやっています。

今さらですが亜美さんにしてみれば、紺と結婚するのはかなり勇気のいることだったのではないかと思うのですよ。

なんといっても舅《しゅうと》はあの我南人です。ロックンローラーの舅を持つお嫁さんというのはなかなかに少ないのではないでしょうか。さらに古本屋の頑固オヤジが祖父、義姉には父親のない子を産んだ藍子、さらには愛人の息子の青と、それはもうまるで小説の中に出てくるような関係のオンパレードですから。よくその気になったもんだと思います。

からんころんと裏口の木戸に吊《つ》るした鈴が鳴りました。

体格の良い人影が何か板のようなものを抱えて裏木戸をくぐってきます。こんばんはー、と少しアクセントのおかしい日本語が庭に響きましたから、どうやらマードックさんですね。紺が気がついて縁側の戸を開けました。

「もってきたよー」

「あーサンキュー。上がって上がって」

ご近所でアトリエを構えるイギリス人のマードックさん。日本の古いものが大好きで、大学時代に日本にやってきてもう十五年以上になりますかね。この辺りの古い家を好んで住み着いているのですが、そういうところは取り壊される事も多く転々としています。最近見つけてアトリエになった物件はまだしばらくは取り壊されないそうですから一安心でしょう。

版画や日本画を専門にやってまして、美術展などにも入選する素晴らしい芸術家のようなのですが、わたしは門外漢なのでさっぱりです。同じように美術の道を歩む藍子とも気が合い、時々は二人で一緒に絵を描いている姿も見られます。

実は、気が合うどころかマードックさんは藍子に気があるようなのです。藍子もまんざらではないと思うのですが、こればっかりはわかりません。

「あら、こんばんは。すいませんいつも」

「あ、こんばんは、あいこさん」

マードックさんが顔を赤らめます。広いおでこも真っ赤になります。実にわかりやすく、正直で温和な良い方です。頭髪の薄さ具合がすこし気になりますが、年齢的にも三十六歳とちょうどいいと思うんですが、どうなんでしょうね。

藍子は結婚は一生しないと言っているんですが、ご縁があればと思います。父親のない子を産んだ娘ですからおいそれとはいかないでしょうけど。

花陽にしたってね、もう六年生、十二歳にもなれば人が人を好きになるというのはわかります。マードックさんが藍子を好きだというのはもう誰が見ても一目瞭然《いちもくりょうぜん》ですので気にしているはずですよ。

「また来たのか外国人！」

あぁうるさいですねぇ。ちょうど勘一が部屋から出てきて見咎《みとが》めました。

「すいません、おじゃましますー。すぐにかえりますからー」

怒鳴られるのはいつものことなので、マードックさんも慣れたものです。

「長居するんじゃねぇぞ。おぅ！　夜回り行ってくるからな」

町内会の夜回りに行くんですね。どすどすと足音を立てて出て行きました。どうも勘一はこのマードックさんを毛嫌いしています。俺は外国人が嫌いだなどと言いますが、単に藍子に近づく男が気に入らないだけですね。ましてやそれが外国の方なので余計なのでしょう。我が亭主ながらどうにも頭が古くていけません。

青がハワイに行く前にやらかした喧嘩のときに壊したのでしょう。

俺じゃないよ、と青が笑いますが、いいえ壊したのは青と我南人ですね。この間の、

「たのまれてなおしてたんだよ。ビョウブ。アオちゃん、またこわしたのでしょ」

「うん。何持ってきたの？」

「アオちゃん、かえってたの」

三人で揃って外へ出ていきましたから、飲みに行くんでしょう。マードックさんは屏風《びょうぶ》の修理代はいらないと言うので、その代わりに奢《おご》るのです。藍子も誘われましたが、朝が早いからといつものようにつれない返事です。

三人が裏口から出ていくのを、二階の窓からパジャマ姿の研人と花陽が見ていました。まだ起きていたんですか。

「マードックさん、また少し薄くなっちゃった」

それは失礼です。そう思っても口に出しちゃいけませんよ。

「そんなことないでしょ。変わんないよ」

二人で窓の桟《さん》に手と顎《あご》を乗せて、笑っています。

「花陽ちゃん、マードックさんがお父さんになってもいいの？」

あぁやっぱりそういう話はこの子たちの間でも出るんですね。大人たちは気にしてな

いかもしれませんが、子供たちは敏感ですからね。

「別に、いいよ」

「僕もいいけどな」

「あんたには義理の伯父《おじ》さんになっちゃうのよ」

「なんでもいいよ。マードックさんおもしろいし優しいし」

窓を閉めて、二人はそれぞれのベッドに潜り込みました。

「いいんだけどね」

花陽が小さい声で呟《つぶや》いたときには、研人はもう夢の中でした。


〈東京バンドワゴン〉の前を道なりに左手に進みますと、三丁目の角の一軒左に小料理居酒屋〈はる〉さんがあります。かれこれここで二十年になるでしょうか。十五坪ほどの小さな店です。

暖簾《のれん》をくぐってガラスの引き戸を開けますと、美味しそうな匂《にお》いが漂いおかみさんの真奈美《まなみ》さんの声が響きます。藍子の高校の後輩ですから、確か三十三、四ですか。おかみさんと呼ぶにはまだかわいそうですかね。元々はお母さんの春美《はるみ》さんとお父さんの勝《かつ》明《あき》さんがやっていた店ですが、勝明さんが八年前に亡くなり、春美さんはここ一、二年、足の関節炎がひどくてお店に立てないとか。

それでも調子の良いときは椅子《いす》に座りながら春美さんが料理をやっているのですが、今夜は姿が見えません。真奈美さんがカウンターの中で明るい笑顔を見せています。

「辛《つら》いねーマードックさん」

お銚子《ちょうし》を傾けて青がマードックさんに言います。お猪口《ちょこ》でそれを受けながら、マードックさんはなにが？　と聞き返します。

「どんなに尽くしても藍ちゃんにフラれちまうのは」

済まなそうに言う青に、紺も頷きます。マードックさん、ちょっと淋しそうにしながらも微笑《ほほえ》みます。

「だいじょうぶ。みんなとなかよくできるから。じゅうぶんです」

「我が姉ながら、何考えてんのかわかんないからなー」

わたしもそう思います。我が孫ながら藍子の思考を辿《たど》るのはなかなか難しいのですよ。

真奈美さんが蕪《かぶ》のあんかけの小鉢を三人の前に並べます。

「藍子さん、高校でも評判だったからね」

「そう？」

真奈美さんが頷きます。

「すごい美人ってわけじゃないけど、スタイルいいし独特の雰囲気があるでしょう？　つき合ってくれっていう男はたくさんいたみたい。でも、藍子さんったらね、申し込まれたら必ずね」

「なに？」

「『十年後にお返事します。連絡ください』って真剣な顔で言うの」

そんなことを言っていたのですか。紺があぁと頷きます。

「聞いたことあるな」

「それで、じゅーねんごにへんじは？　もうじゅーねんたったでしょ」

「どうなんでしょ？」

皆が紺を見ますが、紺が首を竦《すく》めました。

「わかんないよ。でも、今があぁなんだから」

おかしな娘ですね。まぁ十年経っても気持ちが変わらなきゃ本物だとでも考えていたんでしょうか。

「花陽だってマードックさんがお父さんになるのはいいって言ってたけどね」

「ほんとうですか？」

「ホントホント。ねぇ？」

青が紺に同意を求めると、紺も頷きます。

「もともとお父さんがわかんないんだから。あんまりこだわりがないみたいだけどな」

「そうかしら」

真奈美さんです。小首を傾げました。

「どういう意味？」

「花陽ちゃんももう六年生でしょう？　女の子なんだから、急にいろんなことがわかってくる頃よ。お母さんがどうして自分を産んだのかとか、父親はどんな男なのかって、いろいろ考えてもおかしくない年頃よ」

そうですそうです。この呑気《のんき》な男たちにもっと言ってやってください真奈美さん。

「花陽ちゃん、良い子だから、本心は隠しているのかもよ」

女性である真奈美さんにそう言われると、男たちはううんと唸るしかありません。

「ぼく、あんまりいえにいかないほうがいいですかね」

マードックさん、しゅんとしてしまいました。

「あ、そういう意味じゃないのよ。花陽ちゃん、マードックさんのことは好きだと思うよ。でも、お父さんになるってこととは別だってこと」

「そういうもんかな」

「焦らないでってことよ。親の都合で振り回されるのは子供なんだから、じっくり考えてあげなきゃって」

その通りですね。

さて、勘一が行ってるはずですね。町内番の方を見てきましょうか。

町会テントの方には夜回りのために人が集まっているはずです。今年の町会テントは元は団子屋の湯島さんの家があったところに設置されました。湯島さん、旦那《だんな》さんは亡くなられて、奥さんは老人ホームへ行ったそうですけど、お元気でしょうかねぇ。春になったのに湯島さんの桜餅《さくらもち》や柏餅《かしわもち》が食べられなくなってしまって、しばらくは本当に残念でしたよ。

テントの中には裸電球が吊るされまして、会議用のテーブルとパイプ椅子が置かれています。お茶の用意と差し入れの甘いものがテーブルに置かれていますね。これは二丁目の〈昭爾屋《しょうじや》〉さんのお菓子ですか。今夜の夜回り番の勘一と祐円さんと常本さんが座って何やら喋っています。どうやらもう一回りしてきて、片づけて帰るだけのようです。

昔はねぇ、この夜回りももっとたくさんの人が来ていて、酒盛りをやっているんだかなんだかわからない頃もあったんですよ。夜ともなればあちこちのお店や家から差し入れが届きましてね。まぁ昔話をしてもなんですけど、今は夜回りをやってくれるお宅を探すのも一苦労で、いつもお馴染みの面子《メンツ》ばかりなんですよね。

あら、ばたばたと後片づけして、どうやら帰るようですね。

「どうでぇ、次男坊の仕事具合は」

「あぁ、まぁ門前の小僧ですからね。それなりには。後を継いでくれるっていうだけで奇跡みたいな時代ですからね」

「そうよなぁ」

帰る道すがら三人で話しています。小さなお店があちこちにあるこの辺りですけど、どこもそうなんですよ。後を継いでくれる人がいないので、店構えだけ残して営業していないお家が本当に多くなりました。

「ちょいと寄ってくか」

勘一が言って、〈はる〉さんののれんをくぐりました。まだ紺たちも居ますよね。

「なんだ、いたのか」

「お疲れ」

お疲れさまです、と真奈美さんがおしぼりを差し出します。三人が揃って顔やら手を拭《ふ》きながら、勘一が誰にともなく言います。

「今日は変な奴《やつ》が居たぜぇ」

「変な奴？」

青が聞き返します。

「おおよ。なんだかぼーっと突っ立ってよ、どっかの窓をじっと見つめていやがるんだ」

「やだ、変質者？」

「どこで？」

一丁目の大通りに出るところだそうです。

「年の頃なら我南人とおんなじぐらいか。六十絡みの」

「そんな感じでしたね」

「見たことない人なの？」

真奈美さんの問いに、三人が同時に首を傾げました。

「どっかで見かけたような感じはするんだけどな」

勘一が言いますので、ご近所に住んでいる人ではないようです。

「で、そいつはどうしたの」

「どうもこうも、おれらが近づくとそそくさと歩いていったぜ。逃げるところなんざ怪しいと思ったけどよ、なにしてたわけでもねぇしな」

「そんな年でストーカーもないだろうけどね」

「わかりませんよ。そういうのに、とし、かんけいないです」

「まぁねぇ」

青が頷くので勘一がじろりと睨《にら》みました。

「おめぇは自分のストーカー女をなんとかしろよ」

「俺のせいじゃないって言ってんじゃないか」

誰に似たのか、たぶん向こうのお母様なんでしょうね。青は非常にすっきりした顔立ちのすこぶる良い男です。基本的には軽い性格なのですが、顔立ちにはそれが現われずに誠実そうな男に見えます。そのギャップが良いのかもしれませんが。

「青、おまえなぁ」

祐円さんです。

「女はな、大事にしとくもんだぞぉ。大事にしとけばその後の人生にいろいろと彩りってものがな、できてくるもんだからな」

「神主さんに女性の彩りが？」

青が笑いながら軽口を叩きます。そうですよね。

「馬鹿野郎。神主だって人間だ。俺だって若い頃は峰《みね》ちゃんとかよ、真子《まこ》ちゃんとかよ、いろいろあったけど、誠実にやってきたから今もいろいろと彩られているわけよ」

「誰だよそりゃ。とんとそんな話は聞かねぇがな」

まぁとにかく、女性に対して軽いのだけはなんとかしてほしいものです。

三

少し離れたところの大きな神社では、この時期に〈つつじまつり〉というものがあるんですよ。広い境内にそれはもう何千株とありますいろんな色のつつじが一斉に咲き誇る様は見事でしてね。若い頃には勘一とよく連れ立って行ったものですが、ここのところは本当に人出が多くてとんとご無沙汰《ぶさた》してました。

今日はその初日だというのを思い出しまして、一人でちょいと出かけてきました。どうせ勘一は「花眺めてんのか人眺めてんのかもわからねぇからな」と言って、わたしがいなくなってからは足を運びませんからね。

ミツバツツジにキリシマ、キリンにフジツツジ、それはまぁ本当にきれいなんですよ。露店もたくさん出ましてお祭り気分にひたれますから、子供たちはいずれ見に行くでしょうね。そのときにはまた一緒に出掛けましょうか。

今日は何事もなく一日を終え、大人たちは座卓のそれぞれの場所に座り、それぞれに一日の労働を終えたひとときを楽しんでいます。わたしはこういうときは誰にもぶつからないように、勘一の隣に座っているのですよ。勘一は一度座るとめったに動きませんからね。

亜美さんがお茶を皆に運んできました。

「はい、お祖父ちゃんお茶です」

「おぉ」

「あ、青ちゃんのおみやげのチョコレートありますけど、食べます？」

「マタダメダチョコか？」

「マカダミアチョコです」

二階から研人と花陽が降りてきました。研人がわたしの方に視線を向けて、にこっと笑います。はい、今晩は。

「ねぇ大じいちゃん」

「おうよ」

「こないださ、消える百科事典の話してたじゃない」

勘一がそれを聞いてパシン！と自分の腿《もも》の辺りを打ちます。

「それよ！　また忘れるところだったぜ。紺！」

「なに」

「やっぱりあの百科事典はあったぜ！」

「あったの？」

「ところがよ、さっき見たらまた無くなってやがる」

「え？」

紺が訝《いぶか》しげな顔を見せました。

「だから、大じいちゃん、その話」

研人が焦《じ》れて勘一の手を引っ張ります。

「その話？」

「わかったんだよ。その百科事典の持ち主が」

皆が身体を乗り出しました。あれから研人と花陽は二人で調べてみたそうです。

「一年生の女の子がさ、毎朝、ランドセルに百科事典を二冊入れて持ってきて、そっと店の棚に入れるんだ」

「ほぉ」

「そして、学校から帰ってくるとまたそっと店に入ってきて、その百科事典をランドセルに入れて持って帰るの」

「へぇ」

「毎日なのか？」

「毎日」

「そりゃまるで気づかんかったな。よっぽどはしっこいんだなその子は」

「それで？」

「それでって」

「どうしてそんなことしてるの？」

「わかんない」

わからないから皆に相談しているんですよね。

「普通の子なんでしょ？」

藍子が花陽に訊《き》きました。

「普通だよ。先生にもそれとなーく訊いたけど、ちょっとおとなしくて内気だけど、いい子だって」

「名前は大町奈美子《おおまちなみこ》ちゃん。第一マンションに住んでいる一年生」

「四階の四〇三号室だよ」

「五年前に引っ越してきたらしいよ。お父さんの仕事の関係で」

花陽と研人が順々に続けます。ちゃんと二人でできるところは調べてあるのです。我が家の家訓〈文化文明に関する些事《さじ》諸問題なら、如何《いか》なる事でも万事解決〉は、研人と花陽もしっかり守っています。昨今はご近所の問題も子供絡みの問題が何かと多く、花陽と研人も上級生になって、それなりにいろいろ調べ方を心得てしまいました。

「百科事典と子供の謎《なぞ》かぁ」

青がマカダミアナッツチョコをぱくりと一口放り込んで言いました。

「何か、理由があるんでしょうね」

「なきゃそんなことしないだろ」

「どんな理由があるのかなぁ」

皆がうぅむと考え込みます。これは皆目わかりませんねぇ。

「その百科事典、何の行だって？」

勘一が見たときには、〈あ〜〉と〈な〜〉でしたね。その後、〈か〜〉〈ら〜〉だったり、〈さ〜〉〈た〜〉だったりと、一貫性はないようです。

「推理小説なら何か暗号ってところだろうけどね」

紺が言いますが、小学一年生に暗号もないでしょう。

「その百科事典を何かの理由で毎日見にくる人がいるとか」

「毎日来る客なんざぁ祐円ぐらいだろ」

「毎日必ず二冊なのか？」

「そう」

「二冊の百科事典を持って、店に置いていき、帰りにまた持って帰る小学一年生」

紺が繰り返すようにゆっくり言って、天井を見上げながら考えます。つられるように皆もまた考え込みますが、これはわかりませんねぇ。

「まぁ実害はねえよなぁ」

勘一がお茶をずずっとすすります。

「子供のすることったし、なんかよ、友達とそんなようなで遊んでるとかよ。それだったら放っておいてもいいけどなぁ」

「でも気になりますね」

亜美さんの言葉に、皆が頷きました。確かにそれぐらいの子供は何をやらかすかわかりません。遊びでやってるのなら、いいんですけどねぇ。

＊

さて、そうやって皆が悩んだ晩にとりあえず二、三日様子を見ようということになり、三日が経ちました。

件《くだん》の一年生の奈美子ちゃん、登校前に百科事典を二冊抱えて我が家に現われ、本棚に置いていきます。そして学校が終わると立ち寄って百科事典を回収し、ランドセルに詰め込んで家路を急ぎます。店では気づかれないようにずっと勘一と紺が見張って、学校では花陽と研人がそれとなく奈美子ちゃんの様子を観察していましたが、それ以外は何もありません。おとなしめの女の子のようですが、毎日楽しく学校で過ごしているようです。

時々、放課後にこの辺りを友達と走り回り、遊んでいる様子も見かけました。休日にお母さんとお父さんと一緒のところを神社の方でも見かけましたね。特に変わった様子もなく、ごく普通のご家族です。

「わからんなぁ」

勘一が首を捻ります。それに合わせて研人も花陽も腕組みをします。紺も藍子も亜美さんも首を捻ります。

「百科事典を見にくる人はなし」

「そもそも午前中なんてなぁ客は少ねぇしな」

「悪戯《いたずら》でもないし、本人は真面目に何かの目的でやっているのよね」

目的ねぇとまた皆が首を捻ります。紺が目的ねぇと小声で呟いてから続けます。

「一年生の女の子がさ」

「うん」

「しちめんどくさい理由でそんなことを続けるとは思えないよね」

「そうね」

亜美さんが答えました。

「あんなちっちゃい身体で、百科事典二冊抱えるだけでも相当重いでしょうに」

「重いよね」

ちょっと店から適当な百科事典持って来いや、と勘一が言いまして、紺が立ち上がろうとしましたが、そのままピタリと動きを止めました。

「どしたい」

なんでしょうね。そのまま何かを考えています。

「重いよな」

そう呟きました。

「重いわ」

藍子が答えます。

「目的じゃなくて、手段か」

「あ？」

「え？」

紺が座り直してにやりと笑います。

「あの奈美子ちゃんが百科事典を抱えて、得することはなんだ？」

「得？」

「得なんざぁねぇだろう。あんな重いもんを」

研人が、あ！　と声を出してにこっと笑いました。

「重いんだよ！　大じいちゃん！」

「だからさっきから重いって」

「違うよ」

得意そうな顔を研人は皆に向けます。そういう顔をすると紺にそっくりなんですよ。

「奈美子ちゃんは、百科事典を持つと重くなるんだよ。重さを得するんだよ」

「重さを、得する?」

　なるほど、それは確かに。でも、重くなって得をすることなどあるでしょうか。皆もなんとも言えない顔をしていますね。

「研人、お母さんは重くなんかなりたくないけど？」

「なんでそこで俺を見るんでぇ」

「いえ、見てませんおじいちゃん」

「重くなったからってどうだって言うの？」

藍子が紺に訊きます。

「そこがわからない」

紺の言葉に皆がなぁんだとがっかりします。

「いや、そうじゃない。奈美子ちゃんがわざわざ百科事典を抱えて、重くなるっていう手段を使って、うちにやってくる理由はわかったような気がするんだ。でも、そんなことをしなきゃならない原因がわからないってことさ」

勘一が眼を細めます。

「目的だの手段だの理由だの原因だのってよぉ。はっきり言えよはっきりとよ」

「明日」

紺がにやっと笑いました。

「その理由を見せてあげるよ」

何かともったいぶるのは紺の悪い癖ですね。


さて、その次の日です。

今日も奈美子ちゃんは登校前に我が家にやってきました。こそっと入ってきてランドセルから百科事典を出します。わたしはそこにしゃがみ込んでじっと見ていたのですが、今日は〈さ〜〉と〈ま〜〉ですね。もちろん、店に出ている勘一も藍子も亜美さんも見て見ぬふりをしています。

奈美子ちゃんはささっと動くと店から出て学校へ向かって走っていきます。もうすっかり慣れたせいでしょう。それにしても上手い具合に死角を見つけたものですね。実に鮮やかで無駄のない動きです。将来この経験が何かの役に立ってくれればいいんですが。

「で？　どうするんだよ」

様子を見ていた勘一が紺に言うと、紺は奈美子ちゃんが置いていった百科事典を棚から抜き取りました。

「じいちゃん、ちゃんと保管しておいて」

「いいのかよ」

「いいんだよ。今度の出番は奈美子ちゃんが帰ってくる昼ね」

お昼になると、どうしたのでしょう。花陽と研人が揃って帰ってきました。早退《はやび》けですね。具合でも悪いのでしょうか。藍子と亜美さんが慌てています。

「どうしたの？」

花陽と研人は顔を見合わせます。

「お父さんが言ったんだよ。今日は一年生より先に帰ってこいって」

紺は学校に家の用事で二人は早退しますという電話を入れていたようです。

「なんで？」

「さぁ？」

「奈美子ちゃんをお誘いして話をするためさ」

声を聞いて二階から降りてきた紺が言います。

「奈美子ちゃんと？」

「僕が奈美子ちゃんに声を掛けて連れだすとまずいだろう。こんなご時世なんだから」

それは確かにそうかもしれません。そのまま紺は二人を連れて、お向かいの常本さんのお宅にお邪魔します。すいませんね常さん。隅っこの方で外から見えないように隠れています。

奈美子ちゃんが軽い足取りで小路を駆けてきます。我が家の前まで来ると様子を窺《うかが》うように立ち止まり、辺りを見回します。ちょっと可哀相な気もしますね。入ってきても、ご覧のように百科事典がありません。

奈美子ちゃんの口がぱくん、と開きっぱなしになりました。きょろきょろと見回しますがどこにもありません。声をかけたくなってしまうぐらいがっかりした顔をしています。眼が潤んでいるような気もします。泣き出さなければいいのですが。こっそりと様子を見ている勘一も心配気です。

奈美子ちゃんが動き出しました。あぁ肩を落としています。足取りが重いですね。向かいで様子を窺っていた三人も動き出しました。後をついて行くようです。わたしも一緒に行きましょうか。

とぼとぼと奈美子ちゃんは歩いていきます。その後を紺と花陽と研人がついていきます。もちろんわたしもすぐ後ろに居ます。マンションはすぐそこ。奈美子ちゃんがマンションに入っていこうとしますが、まだ紺は何もしません。何を考えているんでしょうね。

奈美子ちゃんが玄関の自動扉の前に立ちました。

ところが、そこでじっとしています。

どうしたのでしょう。入らないのでしょうか。奈美子ちゃんは下を向いたまま、動きません。

「よしっ。思った通り」

紺が小さくガッツポーズをしました。それから研人と花陽にあの百科事典を持たせました。

「行ってこい。これをランドセルの中に入れてやって、奈美子ちゃんを三時のおやつにお誘いしてこい」

奈美子ちゃんが動き出す様子を見て、わたしもようやっとわかりましたよ。なるほどそういうことだったんですね。

四

「自動ドアぁ？」

「そう。自動ドア」

「開かないって、どうしてよ」

紺が後を尾《つ》けながらビデオカメラで撮ったものを皆に見せています。

「本当。ドアが開いてないわ」

そうなんですよ。さっき、奈美子ちゃんがマンションの玄関で立ちすくんでいたのは、自動ドアが開かなかったからなんです。

「このマンション古いからさ。自動ドアが感圧式なんだよ」

「感圧式って？」

「あのマットみたいなところを踏むと、その圧力でスイッチが入ってドアが開くんだ。今はほとんどないだろうけど、古いマンションやビルなんかでまだ使っているところがあるな」

「あるわね」

「ところが、中には古くなって、軽い子供が乗ったぐらいじゃ反応しないのもあるんだなこれが」

「あぁ」

「そうか」

皆が納得しました。

「奈美子ちゃん、身体が小さ過ぎて軽過ぎて、乗っかってもドアが開かないんだろう。それで自分の体重を重くするために百科事典をランドセルに入れてたんだ。でもさすがにそのままじゃ重くてしょうがない。そこで通り道の本屋である我が家に置いていって、帰りにまた持っていくとしたわけだな」

「なるほどねぇ」

きっといろいろ実験したのでしょうね。自分で持っていけて、ランドセルにはいるようなもので重いものを探して、百科事典を見つけて、一冊ならどうだ二冊でどうだと。眼に浮かぶようでつい微笑んでしまいます。そして軒先にも本が山のように積んである我が家なら置いていっても大丈夫と思ったのでしょう。

けれども、あれですね。皆は一様に納得した後に、さらなる疑問を感じているようです。わたしもです。

いくら軽いとは言っても、たとえばぴょんと飛び上がって、ドン！　と思いっきり踏んづければ開くような気もするのですが。見たところ、奈美子ちゃんは特に足が悪いとかいうようなところもなかったようです。

青が同じような疑問を紺に投げ掛けました。

「だからその辺は、奈美子ちゃん本人に訊こうというわけさ」

＊

午後三時になりました。

「こんにちは」

可愛らしい声が古本屋の方に響きまして、勘一が相好《そうごう》を崩します。奈美子ちゃんがおずおずといった感じで店の中に入ってきました。バタバタと音がして、花陽と研人が現われます。

「はいってはいって」

花陽が手を引いて研人がその背中を優しく押して居間の方に連れていきます。まだ一年生ですから、雁首《がんくび》揃えて話を聞くのも怖がるだろうと、藍子が花陽と研人と一緒に話を聞くことになったようです。

とはいっても、隣の仏間では紺が聞き耳を立てていますし、勘一も帳場に座って背中で聞いているのでしょう。わたしも失礼して、藍子の隣に座りました。

さて、せっかくだからと買ってきたケーキに奈美子ちゃんが笑顔を見せて、これはラッキーだと喜んでいる花陽と研人です。学校は楽しい？　などと藍子が奈美子ちゃんに語りかけ、少し緊張がほぐれてきたところで藍子が切りだします。

「百科事典のことなんだけど」

奈美子ちゃん、ケーキを食べながら頷きます。

「自動ドアを開けるために持ってたのね？」

「うん」

「だぁれも怒ってないけど、お店に勝手に本を置いていったりしては駄目よ？　無くなっちゃったら大変でしょう？」

「はい」

素直に頷く奈美子ちゃんです。

「それでね、どうして百科事典を持っていこうなんて思ったの？　ドアは思いっきり踏んづけたら開かない？」

　奈美子ちゃんの表情が少し曇りました。

「あのね、おじさんにおこられるの。そんなにつよくふんだらこわれちゃうって。それでね、おじさんはいっしょにふんであげるって奈美子をだっこしていっしょにふむんだ」

「おじさんって？」

「かんりにんのおじさん」

　管理人。マンションの管理人さんでしょうかね。

「だから」

「おじさんが嫌なのね？」

　奈美子ちゃん、ちょっと首を傾げました。

「いやじゃないけど、やさしいおじさんだけど、まいにちまいにち奈美子をまってるのがなんかへんだなって」

　背中で聞いていた勘一が首を捻りました。紺も眉《まゆ》を顰《ひそ》めます。

　奈美子ちゃん、なかなかしっかりした女の子で、学校でも言われている変な人には注意するようにということをちゃあんとわかっていました。

「確かに抱っこするってのはおかしいわな」

勘一が腕組みして唸ります。その通りですね。奈美子ちゃんもそう感じて、でも、管理人さんを変な人だとお母さんに言うのもためらったそうです。何故《なぜ》かというと、その管理人さん、それ以外は優しくて、マンションの人たちもいい管理人だと言っているのを知ってたそうです。

「頭の良い子ね。自分がそういうふうに言うと問題になるのをちゃんとわかってるのね」

「そうだな」

「騒ぎにならないようにと防衛策が百科事典だったってわけだ」

「にしても、ちょいとこりゃあ問題だよな。その管理人はよ」

皆があいまいに頷きました。一、二回ならどうということはありませんね。子供好きの方で済ませられますが、毎日毎日奈美子ちゃんを待っていたっていうのは、どうでしょう。誤解されても仕方のない行動です。もちろん奈美子ちゃんの言うことを全部信用するとしての話ですけどね。

「よし、ちょいとのぞいてくるぜ」

「おじいちゃん、まだそうと決まったわけじゃ」

「わかってるって。ツラ拝んでくるだけだ」

基本的に気が短い江戸っ子です。藍子が待ってくださいというのも聞かずに行ってしまいました。

「店が空っぽだよぉ」

勘一と入れ違いに甲高い声が響いて我南人が入ってきました。毎度のことですが、荷物も何も持たずにいったいどこをふらついているのかさっぱりわかりません。今度こそ後を尾けようといっつも思うのですけど。

「皆揃ってぇ、なんかトラブルぅ？」

長い身体を折り曲げるようにして座卓の定位置に座り込みます。藍子がお茶を淹《い》れに台所に立ちました。二階から花陽と研人と奈美子ちゃんの笑い声が響いてきて、我南人はそっちに顔を向けて顔を綻《ほころ》ばせます。

「ちっちゃいお客様ぁ？」

紺が事情を説明します。青は我南人と反りが合わないんですが、紺は我南人と波長が合うようです。もちろん実の父と息子ですしね、紺ももっと若い頃は音楽に夢中になっていましたから、我南人の才能というものが肌でわかるんでしょう。それなりに尊敬もしているようですが、父親としては失格だなと苦笑いをするんです。

「そのぉ奈美子ちゃんのマンションって、あそこぉ？」

我南人は長い手を振り上げてあさっての方を指さしました。

「角の第一マンションよ」

藍子の言葉に頷いて、我南人はうーんと腕組みします。バタバタと音がして「おい！」という勘一の声が響くのと同時に我南人も言いました。

「あの管理人ってぇ野郎、この間のストーカーじゃねぇか！」

「その管理人さんってぇ、きっとぉ友達のケンちゃんだねぇ」

「ケンちゃん？」

皆がきょとんとしますが、藍子だけはあぁと頷きました。この間、藍子に紹介していた方ですね。覚えてますよ。柔和なお顔の方でしたけどねぇ。

「何者なんだ。おめぇの友達じゃロクなもんじゃねぇんだろう」

「確かにそうだねぇ」

友達がいのない発言です。

「この間まで、ホームレスだったんだからねぇ」

そういえば、そんなことを話していましたね。

「とにかくぅ、まぁ事情を訊いてみようねぇ。あらぬ誤解だったらかわいそうだし。もし変なこと考えてんなら、正道に戻してあげないとねぇ」

今晩、仕事が終わるのを見計らって、我南人が飲みに誘ってみるという話になりました。勘一は事の主導権を我南人に奪われるのがちょいと不満なようでしたが、友人となれば仕方ありません。むむぅと唸って、紺の方を見ます。

「紺よ」

「なに？」

「面倒なことになるといけねぇからよ。とりあえず急いで奈美子ちゃんの父ちゃん母ちゃんのことをお前が調べておけや」

「あいよ」

勘一の顔を立てなきゃとわかっているのですね。紺がにやっと笑って、素直に立ち上がりました。カフェの方を通って出て行きましたが、あらマードックさんの声がしましたね。

カフェの方に顔を出してみると、マードックさんがテーブルの方でコーヒーを飲んでいました。どこかのお店の紙袋がありますから、買い物の帰りなんでしょう。そこから見える庭の方に眼をやって、何か嬉しそうに微笑んでいます。

思えばあれですね、マードックさんが我が家に初めてやってきたのも春でした。庭の桜があんまり見事なんで、絵を描かせてもらえないかと、今よりずっとたどたどしい日本語でわたしに声を掛けてきたんですよ。あれはまだ研人が産まれたばっかりの頃ですよね。まだ小さかった花陽が、マードックさんの描く絵をじーっと傍《そば》で見ていましたっけね。

四時半を回っています。花陽と研人が奈美子ちゃんを家まで送っていって、帰ってきました。そのまま研人は家の中に入って、花陽はマードックさんの座るテーブルの椅子にちょこんと座りました。

「こんにちは、かよちゃん」

「こんにちは。何買ってきたの？」

「がざいだよ。みてみる？」

「うん」

やっぱり藍子の血を引いているんでしょうかねぇ。花陽は絵を描いたり何かを作ったり、そういう美術の方面に興味があるようです。マードックさんのアトリエにおじゃますることも度々ですし、こうしてマードックさんの持っている道具などにもすぐに興味を示すんですよ。

こうしてマードックさんと話している花陽は屈託が無く、マードックさんのことが好きなんだなと傍目《はため》にみても思います。仮にマードックさんと藍子が結婚して、父親になってても支障はないようにも思いますが、どうなんでしょうね。何もできない身としては、ただただうまくいってくれることを願うしかなくて歯がゆいんですけどねぇ。

亜美さんが何か皿を持ってきました。

「マードックさん、これ失敗作のパウンドケーキなんだけど良かったら」

「あ、いただきますありがとうあみさん」

「花陽ちゃんも食べる？」

「うん」

マードックさんと花陽は二人でなにやら仲良く話しながら、パウンドケーキを食べています。亜美さんはカウンターの中からそれを微笑んで見ていました。

「大丈夫だと思うんだけどね」

小さい声で言いましたね。わたしもそう思うんですが。

＊

藍子が晩ご飯の支度をしているところに、花陽と研人が二階から降りてきます。ところが居間には誰もいません。紺と我南人の姿がないのです。勘一はとみると、古本屋の方も雨戸が閉められています。

「どうしたの？」

研人が訊くと、藍子は苦笑いしました。

「今日は男性陣は〈はる〉さんでお食事」

そうなのですね。皆揃ってあのケンさんとかいう我南人のお友達の話を聞きにいったのでしょう。研人と花陽が二人揃って不満の声を上げましたが、子供が立ち入れるのはここまででしょう。

もちろん研人も花陽もこれまでの経験上わかっていますから、それ以上は文句を言いません。じゃあ今夜はここだ、と研人は勘一の座る場所に座りました。

〈はる〉さんは広い店ではありません。カウンターに五人も並んで、小さなテーブルに二組も座るともう一杯です。

テーブルには我南人とお友だちのケンさん、カウンターに紺と青と勘一と何故かマードックさんもいますがこれは偶然でしょう。さらには祐円さんと常本さんもいます。あのときにケンさんとやらを見かけた夜回りのメンバーですか。もうそれで店は貸し切り状態です。

もちろん、我南人はケンさんを誘ってこの店に来たのですが、他の皆は偶然そこに居合わせたという顔をしながらカウンターで聞き耳を立てています。

真奈美さん、何やらおかしな空気を察しているようですが、何も言わずに黙っています。

「ここぉ、何でも美味しいからねぇ。今度利用するといいよぉ」

「一度だけ、お邪魔したことありますよ」

我南人が真奈美さんの方を見ると、真奈美さんも頷きました。テーブルの上には小鉢が並びます。筍《たけのこ》の味噌和えでしょうか、たらの芽の揚物なんかも美味しそうですね。

「ケンちゃんねぇ」

「はい」

「ちょっと訊きたいことがあるんだよぉ」

「なんでしょう？」

我南人が、その細長い顔をぐっと寄せました。

「大町奈美子ちゃん、って女の子知ってる？」

ケンさんの顔が引き締まりました。少し間が空いて、ケンさんは頷きます。

「うちのマンションの大町さんのところの娘さんですね」

「その子にさぁ、なんかあるのぉ？」

「なにか、とは」

我南人が百科事典の件を話しました。じっと聞いていたケンさんは、我南人が話し終わると、溜息をついて頭《こうべ》を垂れました。

「お恥ずかしい話です。気がつきませんでした。あの子がそんなふうに考えていたとは」

「ケンちゃんねぇ」

「はい」

　我南人は顔を顰めます。

「オレはねぇ、こんな男だけど人を見る目はあると思うんだよぉ。なんつーか、その人のソウルっていうの？　そういうのはわかるのよ」

　何がソ連でぇ、と勘一がぼやきます。

「ケンちゃん、ヘンな男じゃないねぇ。なんか事情があると思うんだけど、話してくんない？」

　ケンさんは頷いて、それから店の中を見回して、立ち上がりました。

「どうも、皆さんにご迷惑をお掛けしてしまったようで、申し訳ありませんでした」

　バレバレだったようですね。深く頭を下げるケンさんに、勘一たちは口の中でもごもごしています。ケンさんは座って、我南人に向かい合いました。

「これは、ここだけの話にしていただきたいのですが」

　ケンさんは、そう言って皆の顔も見回しました。

「大丈夫ぅ。口が固いのだけが取り柄みたいなもんだから。ねぇ？　真奈美さん？」

　真奈美さんも、皆もこくんと頷きました。ケンさんは、小さく息を吐いて、頷きました。

「実は、奈美子は私の孫なんです」

「孫ぉ？」

恥ずかしそうに、ケンさんは頷きます。

「二十年ほど前なんですが、私は千葉にいまして、小さな会社をやっていました。妻と、一人娘の法子《のりこ》が家族でした」

法子さんっていうのは奈美子ちゃんのお母さんだよ、と紺が小さい声で勘一に言いました。

「お恥ずかしい話ですが、当時事業の拡大に失敗しました。必死になって立て直そうとしましたが、どうにもならなくなり、私は逃げ出したんです。家族を捨てて一人で」

死のうとしたそうです。川に飛び込んだものの泳げることが不幸にも、いえ幸いになって死にきれなかった。

「怖くも、なりました」

生き恥を晒《さら》すようだけど、死ねない。

「妻に離婚届を送り、それからは浮浪者のような生活を始めました。幸い身体は丈夫でしたのであちこちの町を転々として、日雇いから漁師の手伝いから自分でできることをやって今まで生きてきました」

ケンさんは咽《のど》が渇いたのか、すいません、と小声で言ってビールのコップを口に運びます。

「二年ほど前ですか。この町に来て建築現場で働いていた私は、ばったりと昔の友人に出会いました。家族ぐるみで付き合っていた男です」

その方から、家族の消息を聞かされたそうです。奥さんはケンさんが送った離婚届をしばらくしてから出していたそうです。けれどもその後、奥さんは誰とも結婚せずに一人で娘さんを育てました。

「ところが、妻は、病で三年前に死んでしまったのだと」

「それは、気の毒だったねぇ」

我南人も同じことを経験しましたね。あのときのことを思うとわたしも胸がつまります。一人娘の法子さんは元気だと教えられたそうです。もう三十歳になり、結婚して子供も産まれて、偶然だがこの町に住んでいると。

「まったく身勝手な話ですが、泣きました。妻にはなんと詫《わ》びをしたらいいのかと。償《つぐな》いにもなりませんが、墓参りもしてきました。本当に、何も言えずにただただ自分の愚かさを呪《のろ》いました。何十年間も逃げ回って、自分は何という男なのかと」

少し眼が潤んでいますね。確かに身勝手ですけど、まぁ気持ちはわかります。我南人も頷きます。身勝手さではずっと我南人の方が上でしょうけどねぇ。

「この年になって身体も弱ってきて、すっかり気弱になりました」

せめて、一目だけでも娘の顔を見たい。そう思ったそうです。

「最初は遠くから眺めるだけだったのです。父親だよなどと名乗れるはずもありません」

話からすると家を出たとき、娘さんは十歳ぐらいですか。覚えていますかいませんか、どうでしょう。二十年の間にケンさんの容貌《ようぼう》も変わったのでしょう。わからないかもしれませんね。

「気づかれないようにして、孫を連れて歩いている娘夫婦を見ていました。幸せそうでした。旦那さんになられた方もいい人のようで、ほっとしていました。幸せならそれでいい。このまま穏やかな生活を続けてくれればいい。もうそれで満足だと思っていたのですが、何度か眼にするうちに、一度でいいから、孫を、奈美子をこの手に抱いてみたい。そう思うようになりました。叶《かな》わぬ夢だ。そんなことを考える資格すら自分にはないとは思ったものの」

つい、そのお友だちに言ってしまったそうです。すると件のお友だち、気持ちはわかる。しかしそれには、今の生活から抜け出さなくてはならないだろう。せめて過去を清算して、身ぎれいな身体になる必要があるだろうと。

「その友人が力を貸してくれました。職を探してくれて、部屋を借りるお金を貸してくれて、私はこの町に住み始めました。そして偶然にも、この春にあのマンションの管理人を求人していることを知ったのです」

「それでなのかい」

我南人ではなく、勘一が声を上げました。ケンさんが勘一の方を向いて頷きます。

「お恥ずかしい」

飲んだ帰りに、つい娘夫婦のいる部屋の窓を見上げてしまう。その灯を見て、あそこには幸せな家族がいる。そう思って見つめてしまう。そうケンさんは言います。

「奈美子が、あの頃の娘の法子にそっくりな奈美子が、あの小さい身体で自動ドアの前で困っているときに、つい抱き上げてしまったのです。そして、もう少し大きくなればこのドアはちゃんと開くから、それまでおじさんが代わりに踏んであげる、と言ってしまったんです」

軽率でした、とケンさんは唇を嚙《か》みしめます。

「見ていられるだけでいい。こうして、同じマンションの同じ屋根の下にいるだけでいい。それだけでも家族を捨てたお前にはもったいないぐらいなんだ。そんなことさえもできる身分じゃないのにと思っていたのですが」

申し訳ありませんでした、とまたケンさんは頭を下げます。皆がうーんと唸って、それぞれにお猪口を口に運んだり、箸《はし》で何かをつついたりしています。そういう事情だったのですか。

「むすめさん、きづいてないんですかね」

真剣な顔でじっと話を聞いていたマードックさんが言いました。皆が顔を上げます。

「いくら、ながいあいだ、はなれていたって、おやこでしょ？　かんりにんさんでかおをあわせているんですよね？」

皆がケンさんの方を向きました。

「気づかれはしないだろう、と思っていました。法子の姿を見かけたらそれとなく隠れるようにしていましたし、私もこの二十年の間に相当容貌が変わりましたから」

「そんなこと、ないと思うな」

真奈美さんですね。

「ごめんなさい、関係ないのに口出しして。そのお嬢さん、法子さん？　気づいていないかもしれないけど、何かは感じているはずよ」

「ぼくもそうおもいます」

「外国人のおめぇに何がわかるんでぇ」

「がいこくじん、かんけいないですよ。じつは、ぼくのちちおやも、むかしいなくなりました」

皆がマードックさんの顔を見ます。それは初耳でしたね。

「ちっちゃいころです。とつぜんいなくなって、ぼくは、ははおやとふたりでくらしていました。ずっとふたりきりでした。ぼくがおとなになってから、だいがくにはいったころに、ちちおやがとつぜんあらわれました。べつのなまえをなのっていたけど、ぼくはすぐにわかりました」

「それは、どういう事情だったの？」

紺に訊かれて、マードックさん少し苦笑いします。

「おとうさん、べつにすきなおんなのひと、できていっしょにとおくへいったそうです。でもそのおんなのひとがしんでしまって、それでさびしくてぼくたちのことをおもいだして、ぼくたちのかお、みたくなってかえってきたそうです」

「手前勝手な野郎だなおい」

「そうですね。ぼくもそうおもいました。ちいさいころ、おとうさんいなくてさびしかったから、ほんきでおこりました。おとうさんも、なみだをながしてあやまっていました。いくらあやまっても、ゆるせないことあります。でも、えーと、なんていうのかな」

日本語はぺらぺらなマードックさんですけど、時々言い回しや単語に迷います。

「にくらしくない？　ちがうな」

全員が一瞬考え込みましたね。紺が助け船を出しました。

「憎みきれない？」

「あぁそれです。なんじかんか、いっしょにいたんです。いろいろはなしました。はなし、ききました。そのあいだに、なんだかところどころ、なつかしいかんじがするんです。ちょっとしたことや、ことばや、しぐさ、ですか？ そういうものに、なつかしいとか、うれしいとか、かんじるんです。あぁ、おやこなんだなぁとおもいました。わすれていたけど、ぼくのきおくのなかに、しっかりと、おとうさんがいるんだなぁと」

そうでしょうね。そう思います。

「おとうさん、はんせいして、あえたからもういい。もうにどとこないから、すまなかったなといって、またどこかにいってしまいましたけど、ぼく、あとからさがしました。さがしていいました。もし、ちかくにすんでくれるんだったら、ときどきあいにくるよっていいました。おかあさんは、もうゆるしてくれないかもしれないけど、おとうさんがぼくたちをきらいになっているんじゃなかったら、あいにきてもいいよといいました。おとうさん、すごい、ないていました。よろこんでいました。またあやまりました。そういうのをみて、ぼくもやっぱりうれしかったです。すこし、ないてしまいました」

皆がちょっとしんみりしてしまいました。

「にんげん、まちがうことありますよね。ゆるせないことあります。でも、それを、ゆるしてあげられるのは、ゆるせなくても、そばにいてあげられるのは、やっぱりおやことか、かぞくしかいないとおもうんです」

そうでしょうね。そうあってほしいとわたしも思います。祐円さんがうんうんと頷き、紺がマードックさんの肩をぽんと叩きました。勘一も口をへの字にしていますね。

「まぁそれはいいけどよぉ……皆が皆そういうわけにもいかねぇだろうよ。世の中優しい人間ばかりじゃねぇんだ」

勘一がお猪口をぐいっと空けました。

「ケンさんとやらよ。おめえさんの事情はわかったからよ。ここだけの話だ。他の誰にも言わねぇからよ。今後は気をつけな。娘さんやお孫さんの傍に居たいって気持ちは俺だってよっくわかるからよ。今後は波風立たねぇようにな、このまま静かにひっそりと暮らすのがいいんじゃねぇか？」

勘一が珍しく優しい声で言いますと、ケンさんも微笑んで頷きます。

「そうですね。ご迷惑をお掛けしました」

「ほらあれだ」

勘一が祐円さんに向かって言います。

「あのマンションのよぉ管理会社ってのは、ほら、あそこじゃねぇのか？」

祐円さん、言われてポンと手を打ちました。

「おぉ、篠原《しのはら》んところのボンボンだな」

「そうそう。一言言っといてやれよ。このケンさんをよ。死ぬまで管理人に置いとけってよ」

　それは無理かもしれませんが、祐円さんが頷きます。

「LOVE　だねぇ」

　我南人です。いきなり大声で、いえ本人は普通なのでしょうが。

「なんでぇいきなり」

「家族を捨てた男もさぁ、捨てられた家族もさぁ、傷ついているんだよぉ。その傷を塞《ふさ》いで癒《いや》すのはさぁ、やっぱり　LOVE　という名の絆創膏《ばんそうこう》なんだよねぇ」

　我南人のよくわからない言動には慣れっこになってはいますが、紺も勘一も、もちろん他の皆さんも訝しげな顔をします。

「このままでいいのぉ？　ケンちゃん」

「私は」

「平和じゃないねぇ。静かに暮らせないねぇ。奈美子ちゃん、変なおじさんって思ったままじゃないかぁ。変なおじさんに抱っこされて困った記憶しか残らないんだよぉ？　愛する孫にそんなふうに思われて、ケンちゃんも奈美子ちゃんも両方がかわいそうじゃないかぁ」

　それを聞いた勘一の肩がぐっとせりあがりました。

「なんでぇ、何かやらかそうってのか？　これこれこういうことでって皆揃えて仲直りの席でも設けるのか？　そんな簡単なことでうまくいきっこねぇだろうが。おい紺」

「はいよ」

「奈美子ちゃんのお父さんお母さん、このケンさんの娘さんとかってどうだったんだ」

紺がひょいと肩を竦めました。

「夫婦仲は良いみたいだね。旦那さんは区役所勤めで真面目で優しい人だし、奥さんもしっかりものだし。奥さん、〈まるはち〉でパートやっていてね」

〈まるはち〉は駅前通りにあるスーパーですね。

「同じパート仲間の仲の良い奥さんにそれとなく訊いてみたら、やっぱりお父さんのことは、自分を捨てたってことでわだかまりがあるみたいだよ。なにより、もう死んだものだと思ってるって言ってたのも聞いたって」

「それみろ。そういうもんさ。てめぇみたいにな、ふらふらしてる野郎にはわかんねぇんだよ。あれこれ考えてややこしいことやろうとしたって無駄だ」

我南人はむーん、と天井を見上げて唸りました。

「親父ぃ」

「なんだよ」

「その通りだねぇ。難しいことや、ややこしいことは LOVE じゃないねぇ」

我南人が続けて何か言おうとしたときに、ガラガラッと乱暴に戸が開けられました。

皆が驚いて見ると、そこに亜美さんが立っています。様子が変ですね。

「あ、ごめんなさい真奈美さん」

「どうした？」

紺が立ち上がりました。

「花陽ちゃんが」

「花陽が？」

勘一も我南人も立ち上がります。どうしたんでしょう。

「いなくなっちゃったの」

五

「何があったんだよ！」

勘一が怒鳴ります。花陽が家を飛びだしていってしまったので、皆で手分けしてそこらを探しているのです。亜美さんが勘一の後を小走りになりながら言います。

「藍子さんと喧嘩しちゃったんです」

「けんかぁ？」

ご飯を食べ終わって、藍子がプリントを花陽に渡したそうです。あの〈おやじの会〉

のプリントですね。そこには欠席しますというところに丸がついていました。いつもなら誰かが参加するのですが、生憎《あいにく》と皆が都合悪い日だったのでしょう。会合自体も顔合わせの宴会だけのようですから、問題はないはずでした。ところが。

「花陽ちゃんたら、何を思ったのか、プリントを見ながら『マードックさんに来てもらってもいいよ』って」

「なにぃ？」

勘一、急にぴたりと止まりました。すぐ後ろを走っていた亜美さんが背中にどん！とぶつかります。

「花陽の奴、そんなこと言ったのか」

「そうなんですよね。それで」

そうでしたか。それで売り言葉に買い言葉となったんでしょうかね。

そういうことなら、それじゃあ、まぁ花陽の行き先なら見当がつきますので、ひと足お先に行きましょうか。探し回っている皆には気の毒ですけど、伝えることもできませんし。

あぁ、やっぱりここにいました。

二軒隣の高崎《たかさき》さんのお宅の横の路地を抜けまして、そこから先はお隣の区、というところにあります古い下宿です。お家も築年数は我が家よりも古いのではないかというぐらいでして、傾いた屋根が危なっかしく、今は誰も住んでいません。ただ、大家さんである品川《しながわ》さんが一階を貸してましして、明神《みょうじん》さんという若い御夫婦が花屋さんを開いています。

その家の裏手にあります階段から二階のものほし場に上がっていけるんです。そこは近所の猫の集会所として有名でして、昼間には何匹もの猫がだらんとねそべってひなたぼっこをしています。

もちろん他人様《ひとさま》の家ですから、勝手に上がってはいけません。けれども、何人かの猫好きの子供たちがここをよく利用しているのは知っています。実はわたしもちょくちょくお邪魔するんですよ。猫たちと一緒にうとうとしてしまうこともよくあります。

花陽がいちばんおとなしい玉三郎を抱いたまま、ぺたんと座り込んで夜空の月を眺めています。さて、泣いてはいないようですがどうしたのでしょうね。わたしもその横に座ります。話を聞いてあげられればいいんですけど、この身ではどうしようもありません。まったく歯がゆいったらありません。

花陽は、お月さんを見上げて小さく溜息をつきました。

とんとんとん、と足音が響いて、誰かが階段を昇ってきます。花陽がびくっと身を固くしました。

「花陽ぉ、どうしたんだぁ？」

ガラガラ声ですが、優しい声が低く響いて、金髪の我南人が現われました。どうやらこの場所を知っていたようですね。花陽が小さく、おじいちゃん、と呟きました。我南人は腰を低くしたまま、ものほし場に上がり込み「よっ」と言いながら花陽の隣に座ります。

「皆、心配しているよぉ」

花陽がこくんと頷き、玉三郎の背中を撫《な》でます。玉三郎が低くにゃんと鳴きました。

「黙って出てきちゃった」

「家出は若者の特権だねぇ。年取ってからやると失踪者《しっそうしゃ》になっちゃうからねぇ、今のうちにどんどんやりなさい」

わけのわからないことを言うものではありません。

「〈おやじの会〉にね」

「うん？」

「学校のお父さん達の集まりにさ」

「うんうん」

夜空を見上げながら二人は話します。

「マードックさんに来てもらえばいいじゃんってお母さんに言ったの」

「ふーん」

「そしたらね、お母さん真剣な顔しちゃって、そういうことを気安く言うものではありませんって」

「うーん」

「あなたのお父さんはただ一人ですって。じゃあその人はいったい誰なのって、そんなこと言うつもりじゃなかったんだけどね。マードックさんが好きなら結婚してもいいよって、お父さんになってもらってもいいよって言うつもりだったんだけど」

「なるほどねぇ」

「誰かも言えないような人をお父さんになんかしないでよ！　って言っちゃって、なんかこう急に頭が真っ白になっちゃって、なんでそんな人の子供のわたしを産んだのよ！って」

「言うねぇ」

「叩かれちゃった。お母さんに」

「ケンカは若者の特権だねぇ。年取ってからやると犯罪になるからねぇ」

また益体《やくたい》もないことを。

「花陽は、お父さん欲しいのかぁ？」

我南人が訊くと、花陽は少し首を傾げました。

「そんなこともないけど」

「いたらいいなぁと思うぅ？」

「いなくてもいいけど。大じいちゃんやおじいちゃんや紺ちゃんや青ちゃん、みんないるし」

我南人は、座ったままくるっと身体を回してかがみこんで、花陽の顔を見ました。花陽も顔を上げました。

「花陽もぉ、LOVE を感じる年だねぇ。だから、わかると思うけどぉ、藍子はね、君のお母さんはね、きっと一生に一度と思えるぐらいの恋をしたんだねぇ」

「一生に一度？」

「それはね、もう人生で誰も好きにならなくていいっていうぐらいのすごい大きな大きな LOVE さぁ。そうして、その大きな LOVE が、花陽になったんだぁ」

「わたしに？」

我南人がにこっと笑って頷きます。

「おまえのぉ、その可愛い顔もすらっとした身体もきれいな心も、すべてが藍子と、花陽の見えないお父さんの二人の LOVE でできているのさぁ。LOVE こそすべてだねぇ」

良いことを言っているようなそうでもないような、わたしにはいまひとつ我南人の表現方法がわかりません。それでも、花陽は真剣な顔をして、その言葉を考えているようです。

「LOVE はね、遠く離れていたって、相手の姿が見えなくたって、そこにあるもんだよぉ」

バタバタと下の方で音がしました。研人が下の方でこちらを指さしています。それに続いて、紺や勘一の姿も見えました。どうやら見つかってしまったようですね。

「さ、行こうかぁ。皆が上がってきたらここつぶれちゃうからねぇ」

促されて、花陽は腰を上げました。玉三郎がその腕の中でにゃあとまた鳴きました。

「にゃあだねぇ。やっぱり LOVE は鳴かないとねぇ」

何を言っているのでしょうか。花陽も首を傾げました。

＊

「まいったなぁ」

珍しいですね。もう日付が変わろうとしている時間に、藍子がカフェのカウンターで何かを飲んでいます。亜美さんがその隣に座って同じようにグラスを傾けていますね。あぁ、大ぶりのガラスの瓶がありますから、我が家に伝わる梅酒を飲んでいるのでしょう。

「いろいろ考えているんですね、やっぱり」

「うん。さすがにちょっとびっくりした」

子供はいつの間にか大きくなるものですよ。

「でも、マードックさん、藍子さんが言ってくれるのを待ってますよきっと。ああいう人だから自分では言いださないと思いますけど」

「そうね」

「差し出がましいようですけど」

そう言って亜美さんがにこっと笑います。藍子も苦笑しました。

「わかってる。いい人よ、マードックさん。一緒に居てくれると嬉しいなと思うこともあるわ」

けれども、踏み出すかどうかを決めるのは、やはり藍子ですからね。

「もう少し、もう少し時間を貰《もら》おうかな」

「いいんじゃないですか？ 花陽ちゃんも藍子さんも考えていることを言い合ったから、当分は落ち着くんじゃないです？」

「そうね」

どすどすと足音が聞こえてきて、勘一が姿を見せました。仏頂面をしています。どうしたんでしょうね。

「まだ寝てなかったんですか？」

「おじいちゃん、どうしました？」

勘一は仁王立ちして藍子を睨みつけています。

「俺はよぉ」

「はい」

「この家に外国人が上がり込むのはだいっ嫌いなんだよ」

こくりと藍子が頷きます。いつもの勘一の台詞《せりふ》ですね。

「だけどなぁ、家族となりゃあ話は別だ。家族になっちまったもんはしょうがねぇからな。あの野郎はなぁ、人の痛みってやつをわかってるじゃねぇか。そういう奴はなぁ、まぁそういう奴だ。今度からは家に来ても怒鳴らねぇようにしてやるからって伝えとけ」

言うと、くるっと踵《きびす》を返して、どすどすと自分の部屋の方へ引っ込みます。それだけ言いに来たのですか。

藍子と亜美さんは顔を見合わせて、二人でくすっと笑いました。

＊

そんなことがありまして、日曜日です。

午前十時を回った頃で、勘一は帳場で座り込み、藍子と亜美さんは一息ついていました。紺はパソコンに向かい、帰ってきていた青は花陽と研人と三人でゲームをしていました。

「ん？」

勘一が反応します。藍子と亜美さんも「あら？」と声を上げました。紺も青も花陽も研人も、顔を上げました。

「この音は」

そうなんです。どこからともなく、ギターの音が聞こえてくるのです。ギターだけではありませんね。ドラムもベースも、いわゆるバンドの音楽がどこからか聞こえてきます。しかも、これはわたしにも耳慣れた曲です。おまけに、このギターの音色は。

「親父だ」

紺が呟きました。そうですね、我南人のギターの音ではありませんか。皆が店の前に出てきました。音楽は風に乗ってどこからか大音量で響いています。常本さんも出てきましたね、あぁ祐円さんも小走りに走ってきました。

「おいおい、何の騒ぎだ？」

皆が音のする方を見つめます。

「ありゃあ」

勘一です。藍子が続けました。

「奈美子ちゃんのマンションの方じゃない？」

皆が小走りに駆け出しました。近づくにつれて音がどんどん大きくなります。見ると、奈美子ちゃんのマンションの周りに人だかりができていて、皆が空を見上げています。

「屋上かよ」

青が呟きました。

「しかも〈ALL YOU NEED IS LOVE〉かよ」

紺も呟きます。

行ってみましょう。


あぁ、本当です。屋上で我南人が気持ち良さそうにギターをかき鳴らして歌っています。ドラムスはボンさんで、ベースはジローさん、ギターは鳥《とり》さん、皆、我南人のバンド仲間ですね。何度もお会いしたことがあります。

マンションの住民の方でしょう、たくさん集まってきています。迷惑そうな顔をした方も、足で拍子を取っている方もいます。あぁ奈美子ちゃんも、奈美子ちゃんのお父さんもお母さんもいますね。

慌てた様子でケンさんが姿を現わしました。今日はお休みですから連絡があって自宅から駆けつけたのでしょう。驚いた顔をして、演奏する我南人に駆け寄りました。我南人は有無を言わさずその肩を抱いて、さらに演奏を続けます。

「なにやってんだあの野郎」

勘一が苦虫を嚙み潰《つぶ》したような顔をして、それでもどこか嬉しそうにして紺と青に声を掛けて立ち去りました。

「おい、後始末、助けてやれよ」

「はいよ」

紺と青が肩を竦めてから、頷きました。

「で、どうなったのよ。その後」

「どうもこうもあるかよ。あの単純馬鹿のおかげでよ。警察もやってきやがってこっちまで痛くもない腹ぁ探られるしよぉ」

勘一と祐円さんが、帳場で一昨日《おととい》の我南人の屋上ライブの件を話し込んでいます。そこらでギター片手に若者が歌っている分には問題ないでしょうが、屋外で勝手にあんな大音量を上げては、警察を呼ばれてもしょうがありませんね。

もちろんこの辺の方は皆、我南人のことを知っています。あの後、突然のライブに大喜びしていた人もいるようですが、苦情を言う方も当然います。あの後、ご近所には紺と青がぐるっと回って一言お詫びを言っておきました。

そして、マンションの住民の方には、一戸一戸、藍子と亜美さんが足を運んでお詫びをしていきました。わたしもついていったのですが、奈美子ちゃんのところにだけは、我南人も一緒に行くと言ってききませんでした。

＊

玄関先でお詫びをしていますと、奈美子ちゃんが藍子にご挨拶をします。知っているのかとお父さんお母さんは少し驚いていますね。

「うちにも、同じ学校に行っている娘と息子がいます。この間は一緒に遊んだのよね」

「あ、古本屋さんに行ったって」

「そうです」

幸いなことにお二人とも我南人のことを知っていて、怒るどころか大変喜んでいて、部屋にどうぞと仰《おつしや》ってくれました。

さてさて、我南人は当然ここまでは計算していたと思うのですが、これからどうするのでしょうか。

「知りませんでした。我南人さんが近所に住んでいるなんて」

お父さん、大町功《いさお》さんというそうです。お母さんは法子さん。

「もうずっとねぇ。産まれてからずーっとここなんだよ。この辺しか知らなくてねぇ僕は」

功さんと法子さん、少し緊張しているようですね。我南人を知ってる方は皆そうなのでしょうね。

「僕はねぇ、けっこう面倒くさがりやでぇ、ライブなんか、よっぽどのことがないと演《や》らないんだぁ」

「はぁ」

「でもねぇ、今日はどうしても演りたくなっちゃってね」

「そうなんですか」

「でもどうしてうちのマンションの屋上で？」

お二人が訊きます。当然の疑問ですね。

「LOVE のためだねぇ」

「はい？」

藍子と亜美さんは慣れたもので、黙って聞いています。後からフォローするしかありませんからね。

「ここの管理人のケンちゃんはねぇ、友達なんだよぉ」

「あ、そうですね、今日もなんか」

ケンさんは我南人にずっと肩を抱かれて、というよりほとんどネックブリーカー状態で振り回されていました。

「名前、知らないでしょう？　ケンちゃんはねぇ、健一郎っていうのよ。名前。健一郎」

健一郎、と法子さんは呟きました。少し表情が変わります。覚えているのでしょうか。

「ケンちゃんねぇ、長いことしょうもないことやっていてねぇ。でもね、反省したのよ。頑張ってるのよぉ。昔傷つけてしまった人がいてね、謝ってもしょうがないけど、せめて見守りたいって思ってるのよ」

「はぁ」

功さんは何がなんだかわからないという顔をしています。

「そりゃあね、許されないこともあるだろうし、許せないこともあるよねぇ。でもね、奈美子ちゃんにもあなたたちにも、年寄りの僕やケンちゃんにだって未来はまだまだあるんだよねぇ。憎んでいたって何も始まらないんだよね。憎しみからは何も生まれないのさぁ。ただただその感情が続いていくだけ。暗いねぇ。暗いよ。未来は明るい方がいいよ。うん、明るい方がいい。楽しくなることを考えていく方がずっといいんだよねぇ。過去に何があってもさ。そう思わない？」

「まぁ、そうですね」

「そういうこと」

「はい？」

「僕はねぇ、みんなのためになるかなぁと思ってねぇ、あのライブやったのよぉ。楽しくなってほしいってね」

「はぁ」

「そういうこと。お邪魔したねぇ。騒がせてごめんねぇ」

言うだけ言うと我南人はついと立ち上がります。

「奈美子ちゃん、またおじさんのところに遊びにおいでねぇ、研人も花陽もいるからねぇ」

にこっと笑って、奈美子ちゃん、こくんと頷きました。

＊

「で、どうなったのよ。その後」

「知るかよ。馬鹿息子はさんざ掻き回してまたいなくなっちまったしな」

「相変わらずだねぇ」

勘一は頭をがしがしとこすります。

「ま、ここまでじゃねぇか？　どんなに鈍くてもあの奥さん、わかっちまっただろうよ。

その後どうなるかは、まぁなるようになるだろうよ」


「ばあちゃん」

紺が仏壇の前に座っています。話ができるでしょうか。

「お疲れさまだね」

「まったくだよ。親父のあれはなんとかならないか」

「死んでも直らないかもねぇ。ケンさんは？　その後どう？　気を悪くしてないかい？」

「奈美子ちゃんのお父さんがね、管理人室に来たってさ」

「おや。お父さんが？」

「察しのいい人らしいね。ひょっとしたら妻のお父さんじゃありませんかって」

「そうかい。で？」

「妻もうすうす感づいているようだけど、何も言わないんだってさ。でも、しばらくはこのまま見守ってくださいって。折りを見て、話してみるってさ」

「まぁじゃあ、良かったんだね」

「結果オーライね」

「そうかい」

「ばあちゃんもさ、死んでからも心配で成仏できな……あれ？　終わりかな？」

あぁ、どうやらまた話せなくなってしまったようですね。まったく不便なものです。

紺が苦笑いして、チーンとおりんを鳴らしました。

まぁまずは、一段落でしょうかね。

夏 お嫁さんはなぜ泣くの

一

裏の右隣の田町さんの庭の枇杷《びわ》の木は、毎年たくさん実らせているのですが、今年もカラスとの争奪戦が繰り広げられていました。

瓦屋根《かわらやね》の上でかたかたとカラスの足音がよく聞かれるようになると、あぁ今年も枇杷の実を狙《ねら》っているんだな、そういう時期なんだなと思います。田町さんのところはお子さんが皆家を離れてしまい二人きりなので、研人がよく田町さんの物干し台の上に上がってカラス撃退に竹竿《たけざお》を持ちだして振り回しています。

庭の片隅のアジサイは赤色が随分と強くて、今年は猛暑になるのでしょうかね。朝顔もそろそろ顔を出して伸びてきています。これは我南人も藍子も紺も青も、そして花陽も研人も毎年、夏休みの観察のために植えていたもので、代々続く立派なものなんですよ。もっともここ何年かは花陽も研人も飽きてしまいましたけど。

あぁそうそう、この間朝顔市にも顔を出してきましたよ。きれいで立派な朝顔を買えないのも残念ですけどね。見るだけでも楽しいもんですよ。

そんなふうに季節を通り抜けて梅雨《つゆ》も明けまして、陽射しが日に日に強くなっていく七月半ば過ぎです。

朝からよく晴れていまして気温も高くなってきています。開けっ放しの縁側からは気持ちの良い風と、さぁて鳴いてやれとばかりに蟬《せみ》の声が流れ込んできます。

蟬の声に混じって、裏の左隣の杉田さんの勝手口から若奥さんの声が響きます。

「藍子さーん！　おから、いる？」

「あ、すいませーん、いただきます！」

杉田さんもここに豆腐屋を構えて三代目ですね。初代の頃にはなんですかうちの本がおから臭くなるとかならないとかでけっこうやりあったそうですよ。まぁそれも今となっては昔話ですけどね。

御存知の方も多いでしょうけど出来立てのおからは本当に美味《おい》しいですからね。我が家は毎日ではありませんけど、こうしていただくことも多いんです。

そして、毎度のことながら、堀田家の朝の食卓は蟬の声に負けないほどに賑《にぎ》やかです。

「紺さぁ、今度ツアーやるんだけどぉ、お前一緒に来てくれないぃ？」

「お母さん、玉三郎が元気ない」

「おい、生卵くれ、生卵」

「ツアー？　何ヶ所回るの」

「昨夜《ゆうべ》ね、部屋に入ってきて布団の上で寝て、そのままずーっとそこにいるんだよ」

「これ、醬油《しょうゆ》入《い》れだろ？」

「おから、まだあったかくて美味しいですよ」

「あら、どうしたのかしら」

「あれ？　青ちゃん今日からイタリアって言ってなかった？　なんでいるの？」

「六ヶ所なんだけどねぇ、最近どうも肩が痛くてねぇ、ケース持って歩くのキツいんだよぉ」

「玉三郎も年だから、心配ね」

「荷物持ちかい」

「おい、醬油だよな、これ」

「中止になったんだ。だからしばらく家にいるから」

「醬油ですよ、お祖父《じい》ちゃん」

「ギャラは弾めないけどねぇ、お前も最近外出てないだろぉ？」

「お祖父ちゃん！　たまごかけご飯に醬油かけすぎです！　死んじゃいますよ！」

勘一のご飯は真っ黒になっています。昔っからそうなのですよね。たまごかけご飯のときには米の一粒一粒に醬油が染みていないと気が済まないのです。

「いいんだよ、どうせ老い先短いんだから好きにさせろって。おい青」

「なに？」

「家に居るんなら、おめぇ紺と一緒に書庫の本、庭に並べて陰干ししろ。梅雨も明けたしな」

皆が揃って縁側から庭を眺めました。朝陽がたくさん降り注いでいて、今日もいい天気になりそうですね。


書庫の扉が開いています。

庭の一角にあります書庫は、創業当時からの土蔵なのですが、それほど大層なものではなく、まぁ十畳間程度のものでしょうか。二階建てになっていまして、もちろん中は全て本棚になっています。これがなかなか大変な代物でして、閉めっぱなしにしておくともちろん湿気で本が駄目になってしまいます。朝昼晩とあちこちにある換気の窓を開け閉めし、ときには暖房機や加湿器にスイッチを入れて、適度な乾燥や湿り気に注意しなければなりません。

わたしが居た頃には毎日の仕事になっていましたが、今は紺がやっています。最近では花陽や研人も手伝っているようですね。

朝ご飯を済ませて一服した青がさっそくゴザと簀《す》の子《こ》を引っ張り出してきて、庭に敷き詰めました。紺がその上にキャンプのタープを張っています。ここに本を出してきて、陰干しをするんですよ。

それほど古くない本でしたらね、置きっぱなしでしばらく放っておいても大丈夫ですが、中には相当年代物の本もあります。あんまり風に当て過ぎても傷んでしまいますから、その辺の加減も必要なんですよ。

それほど貴重ではない古本は、簀の子の上にぽんぽんと並べていきます。高値になる古書を扱うときは、白手袋を着けて、低いテーブルを置いて、その上に白布を敷いて本をそっと並べます。一枚一枚、ゆっくりとめくって、中の状態を確認しながら、軽く虫干しをするのです。

自慢にも何にもなりませんが、何せ明治から続く店ですから、所謂《いわゆる》古本ではなく古書と呼ばれるものも数多くありますし、中には古典籍などと呼ばれる貴重品も多いのです。我が家のことを知る同業者の方は、この蔵を〈宝蔵〉などと呼ぶ人もいるぐらい。

古本屋稼業を多少御存知の方なら〈目録〉というのを聞いた事もあるでしょうね。我が家の〈目録〉は実は門外不出となっていまして、店売り一本。展示会にも滅多に顔を出しません。

〈本は収まるところに収まる〉という家訓は、人と本を結ぶのは店であるという先代の気持ちを表わしているのですよ。

いっぺんに書庫の本を全部出せればいいんでしょうが、何せ膨大な数ですのでなかなかそうもいきません。陰干しも一日で終わるはずもないので大層な仕事になるのです。

「なんで中止になったんだ？」

「え？」

「イタリア」

「あぁ」

青が苦笑いします。

「嘘《うそ》」

「うそ？」

嘘とはなんでしょう。

「なんか調子が悪くてさ。さぼり。まぁ少し早めの夏休みかな」

「ふーん」

八つ違いのこの二人。学者肌とでも言うんですかね、どちらかと言えば家に座っているのを好む落ち着いた性格の紺に、今どきの軽さを持って飛び回る青というふうに正反対です。小さい頃は遊び回る青をそっと見守る紺というふうになっていました。今でもそれは変わりませんね。青を慕ってくるお嬢さんの相手をするのはいつも紺で、損な役回りと言えばそうなのですが、しょうがないなと苦笑いだけで済ませています。

「俺《おれ》のできないことを軽々とあいつはやるからね。うらやましいよ」

そういうふうに言っていたこともありましたか。自分とは違う生き方をする弟の行く末が楽しみなのでしょう。

鼻歌を歌いながら、青と紺が手際よく本を並べていきます。そこに、カフェの方から何かが割れる音と、小さな悲鳴が聞こえました。藍子ですね。何かを落として割ったのでしょう。紺と青が顔を見合わせて、青が苦笑いしますが、紺は少し顔を顰《しか》めました。

「なぁ青」

「なに？」

「こないだからさ、少し藍子、おかしいと思わないか？」

本を開く手を止めて、青が紺の顔を見ました。

「おかしい？」

そうなんですよ、実はわたしもね少し気になっていました。まぁ元々がおっとりしていますし、天然ボケと皆にからかわれる藍子ですが、どうもねぇ、このところいつもに輪をかけてぼーっとしていることが多いんですよ。

ああして何かを割ってしまうことも頻繁ですし、まだ更年期障害には早いと思うのですが。

「あのときからなんだよな」

「あのとき？」

紺が縁側に腰掛けました。煙草盆《たばこぼん》をひょいとこっちに引き寄せ、煙草に火を点《つ》けます。

「お前はいなかったけどさ、三日前だったかな。知り合いの葬式があるって喪服着て出かけていったんだ」

「葬式」

うん、と紺が頷《うなず》きます。

「亜美の話では、その前々日だかに藍子に電話があって、どうもそのときに知ったらしいんだけど、その日からもう、少し変だったたって言うんだよな」

「葬式ねぇ」

青もよいしょと縁側に腰掛けました。むこうで陽に当たっていたポコがむっくりと起き出して、青の近くにやってきました。三毛猫のポコは青がお気に入りで、家に居るときにはいつもくっついて歩きます。

「誰か、親しい人でも死んだのかなと思うんだけどな」

「誰が死んだか訊《き》かなかったの？」

「言わないんだよ。知り合いよ、とだけ」

ふーんと青はポコを膝《ひざ》に乗せて、空を見上げました。

「どうしたんだろうね」

＊

お昼時を過ぎました。お店の賑やかさも一息ついて、亜美さんがよいしょと小さな声を出して、カウンターに座ります。ひと休みです。

「じゃ、買い物行ってきますね」

「行ってらっしゃい」

藍子は足りないものや家のものの買い物ですか。それを笑顔で見送って、亜美さんは小さなグラスに氷を入れました。アイスコーヒーでしょうかね、くいっと一口飲み干します。

「こんにちは」

おや、マードックさん。カウンターの亜美さんの横に腰掛けます。

「藍子さんに会わなかった？」

「いいえ、あわなかったです」

「今、お買い物に行ったばかりなの。残念」

マードックさんが苦笑いします。

「いいですよ、あついから、つめたいものをのみにきただけです」

笑って亜美さんはアイスコーヒーを出します。

「ねぇ、あみさん」

「なぁに？」

「いま、はいってくるとき、きになったのです」

「なにが？」

そこの、とマードックさんが指さします。

「あかつきそうとしんじょうさんのあいだのこみち、ありますね」

「うん」

「そこで、ここのようすをうかがっているひと、いたんです」

「窺《うかが》っている？」

「そうなんです。ぼくがとおりかかるとびっくりしたようすで、あわててむこうにいってしまいました。とても、あやしかったですね」

亜美さんが眉《まゆ》を顰《ひそ》めます。

「どんな人？」

「まだわかい、おにいさんでしたよ。アオちゃんぐらいか、もっとわかいか」

「私のストーカーかしら」

そう言って亜美さんもマードックさんも笑いましたが、昨今はあんまりそういうのは洒落《しゃれ》になりませんからね。

「こんにちは」

振り返ると、若いお嬢さんがカフェの入口に立っていました。

「いらっしゃいませ。どうぞ？」

「あ、あの、青さんはご在宅でしょうか」

亜美さんとマードックさんが顔を見合わせます。さてさて、また青の関係のお嬢さんですか。お幾つぐらいでしょうかね、二十《はたち》を過ぎたころでしょうか。なかなかの別嬪《べっぴん》さんで、笑顔も可愛いですね。

亜美さん、また青の奥さん役をしなければならないのかと心の中でげんなりしているでしょう。

「少々お待ちください。お名前は？」

「牧原《まきはら》みすずといいます」

「ぼく、いってきますよ」

マードックさんが家の中に入っていきます。亜美さんはまぁどうぞ、とお店のテーブルを勧めました。お嬢さんがぺこんと頭を下げて座ります。

風情《ふぜい》としては、ちゃんとしています。今までに来られた思い込みの激しい方々とは、少し勝手が違いますね。亜美さんもそんなような顔をしています。


「アオちゃん」

「あれ、マードックさん来てたの」

「おきゃくさんですよ」

「客？」

簀の子の上に座り込んで本を片づけていた紺と青の手が止まります。青が立ち上がりました。

「また、おんなのひとですよ」

紺がまたかよ、と言います。青は名前は？　と訊きました。

「まきはらみすずさんですって」

紺の叫び声が響きました。青が手にしていた分厚い本が落ちて、紺の頭を直撃したのです。何ですかね、その反応は。

二

「嫁に来たぁ？」

上座に座り込んだ勘一が素《す》っ頓狂《とんきょう》な声を上げます。びっくりしました。

「嫁ってのは、あれかい、青と結婚するってことかい」

「はい」

牧原みすずさんというお嬢さん、ニコッと笑って頷きます。その隣で青はと言うと、なんとも言えない表情で頭を掻《か》いています。

「青ちゃん」

藍子が声を掛けると、青は何やら難しい顔をして頭を上げます。紺や藍子や亜美さんの顔を見回します。最後に勘一に向かって言いました。

「あー、まぁ嫁ってのはちょっと早過ぎるとしてもさ、面倒見てやってよ」

「面倒ってなんだよ面倒って」

「彼女、大学で国文学専攻だったんだよ。古本屋で働くのが夢だったんだってさ」

「ほぉ」

勘一の顔が少しだけ緩くなりましたね。

「卒論はあれだよ、なんたっけ？」

「『二葉亭四迷《ふたばていしめい》文学における死の概論』というものを」

「ほぉ」

今度は紺も揃《そろ》って声を上げます。よくわかりませんが難しそうなお題ですね。

「もう夏休みだしね。バイト代もいらないって言うし、とにかくしばらく置いてやってよ。なんでもできるから。いい子だし」

そうは言うものの、皆が微妙な表情をしていました。

ところがこのみすずさん、本当に良い子だったのです。カフェの方をやってもらえば、接客態度は明るくはきはきしていて手際よく何の問題もありません。おまけに別嬪さんですからねぇ、目当ての若いお客さんが増えるかもしれません。

「料理も上手なんですよ。ねぇ」

「そうね」

亜美さんと藍子が口を揃えて勘一に言います。

「小さい頃からちゃんとお母さんに教わっていたんですって」

「今どき珍しいね」

「おじいちゃん、その肉ジャガもみすずさん作ったんですよ」

「へぇ、旨《うま》いじゃねぇか。婆《ばあ》さんの味付けに似てるぜ」

そうですか？　お味見できないのが残念ですねぇ。肝心のみすずさんは、何でも明日から住み込みで働くと言い出しまして、青と荷物を取りに行ってます。

「本の知識も大したものだったよ。虫干し手伝ってもらったときにいろいろ訊いたけど、いますぐにでも古本屋をやれるよ」

紺も感心したように言います。

「何だか青ちゃんにはもったいないわね」

藍子の言葉に皆がうんうんと頷きました。

「でもさ」

花陽がその肉ジャガをもぐもぐしながら言いました。

「いきなりやってきて嫁ってのはどうなの？　しかも明日から住み込みって」

なんだか少し不機嫌ですね。早くも小姑《こじゅうとめ》根性でしょうか花陽は。

「そこだよな。青の野郎、そんな素振りも話もこれっぽっちもなかったじゃねぇか」

また皆がうんうんと頷きます。確かに、これまでたくさんのお嬢さんを追い返してきましたが、実は青がお付き合いしている女性というのにはお目にかかったことがないのです。

「青ちゃん、ゲイじゃなかったの」

研人が言って、勘一に頭をこづかれていました。

「誰だ！　そんなのを教える奴《やつ》はよぉ」

「いや、それはじいちゃん、今は差別だよ。ゲイだってレズだってちゃんと市民権を得ているんだから」

紺が言うと勘一はけっ！　と横を向きます。

「市民権だか野球拳《やきゅうけん》だか知らねぇけどよ。男は女と、女は男と。それが正しいお天道《てんと》さまの下を歩く人間の道ってもんだ」

突然、研人がうぐわぁ！　と声を上げました。

「どうした！」

口と咽《のど》を押さえて吐きそうな顔をしています。

「なんだ！　どっか痛いのか！」

勘一が大慌てしていますが、研人は顰めっ面をしながらお味噌汁《みそしる》を指さしました。

「味噌汁？」

研人が口を押さえながら頷きながら台所に走ります。水を盛大に出して飲んでいるようで「なにそれーっ！」と声が響きました。

全員が顔を見合わせて、自分の味噌汁を恐る恐る口元に運びます。全員が匂《にお》いを嗅《か》いだだけで面妖《めんよう》な顔をします。さらに口をつけると全員が先ほどの研人と同じような声を発しました。

「……ごめんなさい」

藍子が口を押さえながら言います。何を間違ったというのでしょう。

「これ、お味噌じゃないわね」

「取っておいた昨日の残りのカレーじゃないですか？」

「変だと思ったんだ。カレーの匂いがするのにカレー味の料理が見当たらないからさぁ」

「ごめんなさい。なんで気づかなかったんだろう？」

やっぱり、藍子はどこか変です。


翌日です。

みすずさんはなんと朝の六時から我が家にやってきて、藍子と亜美さんの朝ご飯の支度の手伝いから始めました。

「そんなのはいいのにみすずさん」

「いいんです！　家でもずっとやってたのでなんでもないです！」

ニコニコと笑って、くるくるとまるでコマネズミのように働きます。そんなみすずさんを見ている勘一や紺の頬《ほお》が緩んでいますね。

「いいね、若い女の子が家に居るっていうのは」

「まったくだなおい」

それを聞いていた亜美さんと花陽がむくれます。

「若くなくてすみません」

「若過ぎてすみません」

亜美さんのは冗談としても、花陽はどうやらみすずさんが気にくわないようですね。まぁ花陽は青がいちばんのお気に入りですから、無理ないかもしれません。

ところが、肝心の青があんまり嬉《うれ》しそうではありません。なんですかすっかり覇気を無くして、背中を丸めて新聞のチラシを読んでいます。

「なんでぇおい、新郎さんよ、てんで元気がねぇじゃねぇか」

「そんなことないよ」

勘一が眼をぎょろりと剝《む》いて、青を見て小声で言います。

「まさかおめぇできちゃったなんとかで、仕方なくってセンじゃねぇだろうな」

「違うよ」

「仕方なくでも上等じゃないか、あの子なら」

まったく男性陣はメロメロですね。まぁたしかに良い娘さんなのですが、気になることがひとつありますね。

「ねぇ、みすずさん」

「はい！」

食卓に朝ご飯が並べられて、皆がそれぞれの位置についていただきます！　の後に亜美さんが訊きました。あぁ例によって我南人は昨日からまたふらりとどこかへ行ってています。自分の息子にお嫁さん候補が来たというのに。

「ご両親にはなんて言ってきているの？ お嫁さん云々《うんぬん》はともかくとして、うちにしばらく泊まるっていうのは」

「おぉそれよ」

勘一が箸《はし》を置いて言います。そうです。わたしもそれが気になっているのです。

「なんだったらあれだ、肝心の馬鹿父親がいねぇからよ。俺がちょいと挨拶《あいさつ》してきてやってもいいぜ」

青が急に顰めっ面をしました。みすずさん、少しだけ表情を曇らせましたが、すぐに笑顔になって元気よく答えます。

「いないんです」

「いない？」

「母は私が中二のときに、父も今年に。なので、大丈夫です。二十歳も過ぎてますし、自分のことは自分で」

勘一がそりゃあ、と言って頭を掻きます。

「ご愁傷さまだったたな。すまんこと訊いちまったたな」

「あ、全然大丈夫です。お気遣いなく」

みすずさんが、いただきます、と小さく呟《つぶや》いて、ご飯を食べかけて止まりました。横目で注目していた皆が同じようにピタリと止まります。みすずさん、皆の視線に気づいてごめんなさい、と小さく笑います。

「こんなにたくさんの家族と一緒のご飯って、憧《あこが》れてたんです」

静かに言います。

「ずっと父と二人きりでしたし、父もほとんど家にいないような人でしたから食事はいつも一人だったし。なんだか、嬉しくて」

少し淋《さび》しげに笑います。皆もうんうんと頷きます。

「そんなに良くもないよ。おかず少なくなるし」

研人の言葉に、みすずさんは少し瞳《ひとみ》を潤ませて笑っていました。

三

ちりん、と軒先に吊《つ》るした風鈴が鳴ります。じりじりとお天道さまが照りつけて、庭の土蔵の影を濃くします。今日も暑いですねぇ。

「こんちはー」

昼過ぎに古本屋に入ってきたのは、藤島《ふじしま》さんですね。まぁ今日も洒落た格好して、ピシッと決まっています。勘一が帳場でぎょろりと眼を剝きました。

「なんでぇまた来たのか」

「ひどいなぁ、お客なのに」

藤島さん、爽《さわ》やかな笑顔で応《こた》えます。この方、なんでも流行《はや》りのＩＴ企業の社長さんで、まだ二十八歳の若さです。ですが、巷《ちまた》で有名なあの六本木ヒルズに会社を構えているのですね。

「てめぇに売る本はねぇぞ」

「そんなこと言わないでくださいよ。はい、今日も持ってきました」

藤島さん、勘一にコピー用紙を渡します。びっしり字が書かれています。勘一が気難しい顔をして、それを読んでいますね。藤島さんはきちんと立ったままにこにこして待っています。

一読した勘一が、顔を上げました。

「まぁまぁだな」

「良かった。じゃあ今日も本を買っていいですね？」

「おうよ」

実はですね、若いくせに無類の古書好きでもある藤島さん、以前に我が家にやってきて、うちは宝の山だと感激しまして、全部買い上げると言ったんですよ。ところが勘一が激怒したのです。

「本ってのは、収まるときにはその人の手に自然に収まるものなんだよ。てめぇみたいに金にあかせて買い漁《あさ》るような奴には埃《ほこり》ひとつだって売りはしねぇ！」

そう啖呵《たんか》を切ったのです。確かにお金が有り余っていて、多少騒がしい藤島さんですが根はいい人です。すっかり反省しまして、なんとか売ってくれないかとお願いしたところ、本が好きだという熱意にほだされ勘一が言ったのですよ。

「まず一冊買って、それについての感想文なりレポートなり書いてこい。それが良かったらまた売ってやる」

以来、藤島さんはそれを続けているのですよ。まぁどっちもどっちですがね。

「ねぇ、堀田さん。すぐそこでも家を壊してましたね」

藤島さん、まずは本棚で本を物色しながら話します。

「あぁ、やってたな。ありゃあ昔は下宿屋やってたところだ」

「淋しいですね。いい風情の家がなくなっていくのは」

「おめぇたちみたいなのが買い漁ってんじゃねぇのか」

「地上げ屋じゃないですよ僕らは」

しょうがないですね。ここらあたりには本当に今にも崩れ落ちそうな家も多いですし、実際人が住んでいるのに屋根が落ちてしまったこともありましたよ。

「見てるぶんには懐かしい懐かしいだろうけどよ。住んでる人間にとっちゃやっぱり便利な方がいいのさ」

「そうでしょうけどね」

藤島さん、淋しそうに溜息《ためいき》をつきながら下を向きました。

「あれ？」

あら、ベンジャミンですね。どこかへお散歩に行ってきたのか、外から店の中に入ってきました。そのまま家の中に入って行きますが。

「堀田さん、その猫の首輪に何かついてませんか？」

「うん？」

そうですね。何かが首輪についています。勘一が手を伸ばしてベンジャミンをひっつかまえて、それを取りました。

「なんだこりゃ？」

紙ですね。おみくじを枝に巻くようにして折り畳んで首輪につけてありました。

「文庫本のページですね、これ」

藤島さんの言葉に勘一も頷きます。

「『……フレンチ・デンと〈落し穴の森〉のあいだの約一キロは……』ううん？　っとこりゃあ」

二人で文章を読んでいきます。

「これは、『十五少年漂流記』じゃないですか？　ジュール・ヴェルヌの」

「あぁ、そうか？　ちょいとそこらにねぇか、文庫本のやつ」

藤島さん、慌てて本棚に駆け寄り、眼と手で文庫本の並びを追います。

「ありました！」

勘一のところに戻りながらぱらぱらと慌ててページをめくります。

「こっちのページは二二九と二三〇ページだ」

「あ、ありました！　間違いないですね。このページです」

二人で確かめましたが間違いないようです。ジュール・ヴェルヌの『十五少年漂流記』の一ページがちぎられてベンジャミンの首輪に巻かれていたのです。

「わかったはいいけど」

藤島さんの言葉に勘一も首を捻《ひね》ります。

「なんでこんなもんがついてるんだ？」

二人でベンジャミンを探しましたが、もうどこかに行ったのか姿が見えません。なんでしょうねいったい。不思議なこともあるもんです。

＊

「ストーカー？」

「そう……だと思う」

カフェの方に研人と花陽が汗だくで帰ってくるなり、配達から戻ってアイスコーヒーを飲みながら一服していた紺にそう言いました。何でも、学校から帰ってくる途中で、自分たちの後をついてくる男に気づいたとか。

「若い男か？」

「と思う。青ちゃんぐらいか、大学生なのかわかんないけど」

小学生にはその辺の区別はつきませんよね。

「後をついてきていたっていうのは確かなのか？」

花陽は大きく頷きます。

「あれっと思ってからちゃんとチェックしてたもん。ミラーとかで」

さすが花陽ですね。紺がうーんと唸《うな》って腕組みをします。

「まぁあれだ。登校下校のときには必ず友達と一緒にいること。一人で買い物に行かないこと。そして今度同じ奴を見かけたら、すぐに電話すること。いいな？」

「うん」

花陽は元気よく頷きますが、それにしても本当になんという世の中になってしまったんでしょう。もちろん変なお方は昔から居ましたし、事件も昔からありました。カストり雑誌なんていうのも昔ありましたね。けれども昨今のそれは昔とは根が違うような気もします。一緒に話を聞いていた亜美さん、ふと考え込みました。

「そういえば」

みすずさんが来た日ですよね。マードックさんが変な若い男を見かけたとか。

「同じ男かしら」

「そうかな」

「嫌ね。何かしら」

まぁ当分気をつけてみようか、と紺は言います。その方がいいようですね。勘一がカフェの方にやってきました。あぁ、さっきの『十五少年漂流記』のページを持っています。

「おい、紺よ」

「なに？」

「昼ごろによ、ベンジャミンの首輪にこんなものが巻き付いててよ」

紺が訝《いぶか》しげにそのページを手に取ります。

「文庫本のページ？」

「誰かの悪戯《いたずら》にしちゃあ意味深だよなぁ」

「あ！」

研人が大声を上げました。

「なんでぇいきなり」

「これ！」

慌てた様子でポケットから何かを取り出しました。あらまぁ、文庫本のページです。

「おいおい、おんなじもんじゃねぇか！」

「『十五少年漂流記』？」

しかも今度は二枚あります。

「どしたんだ、これ！」

「帰ってくる途中でベンジャミン見つけて、見たら首輪についてたんだよ！　だから取ってきたの！」

「ベンジャミンはどこにいたんだ？」

「公園の向かいの、ベランダ」

いつも猫がたくさん集まって昼寝をしているところですね。知ってます。皆が顔を顰めてうーんと唸りました。

居間の座卓にしわくちゃになった文庫本のページを三枚並べて、勘一と紺がそれを前にして腕組みして悩んでいます。汗をかいた麦茶のコップを手に取って、勘一がぐいと飲み干します。開けっ放しの縁側から蝉の声と、どこかで建替えでもしてるのでしょう、金槌《かなづち》やら鋸《のこぎり》の音も聞こえてきます。

「一枚目を首輪に付けてきたのは十二時過ぎだね」

「おう」

「研人がベンジャミンを見つけたのは三時過ぎ。誰かが外に出ているベンジャミンに二回も文庫本のページを破ってくくりつけた」

「だわな」

なんでしょうねぇ。なんだかいやな予感もしますが。

「一回目は二二九と二三〇ページ」

「二回目は一九、二〇ページと二九、三〇ページだな」

うーんと唸ったところで、裏木戸の方から声がしました。

「暑いねー」

あら祐円さんとマードックさんです。二人揃ってとは珍しいですね。祐円さんは扇子をパタパタさせながら現われました。

「おう。珍しい取り合わせじゃねぇか」

「そこで、ばったり、あったんです」

「なんだい、二人揃って深刻な顔して。いよいよ店も危ないってかい」

「馬鹿言ってんじゃねぇよ。今こいつのせいでな」

「こいつ？」

祐円さんが縁側から上がってきたところで、突然紺が「あ！」と大声を上げたものですから、祐円さん驚いて飛び上がりました。

「なんだよ紺ちゃん、心臓縮み上がったぜ。神主殺すと末代まで祟《たた》るぞ」

「祐円さんだ！」

「あ？」

勘一が驚いて祐円さんと文庫本のページを見比べます。

「おめぇがやったのか？」

「何を？」

「違う違うじいちゃん、ベンジャミンと祐円さんだよ！」

「あ？」

紺の顔つきが急に真剣なものに変わりました。

「祐円さん！　ベンジャミンの元の飼い主！」

「初美さんか？」

「家は？　どこだっけ!?」

「今はあれだ、川崎の息子さんのところによ」

紺が慌てます。

「違う、前の家」

祐円さん、扇子で外の方を示します。

「二丁目のよ、ほらどん詰まりの路地のところにあるじゃないか。今にも崩れそうな家がよ」

「そこだ！」

紺が慌てて立ち上がりました。

「マードックさん付き合って！　祐円さん、その息子さんのところに電話して初美さん家に居るかどうか確認して！」

救急車がやってきて、辺りにはご近所の人も集まってきて大騒ぎ。そうなんですよ。紺が家の中で倒れている初美さんを見つけて救急車を呼んだんです。

初美さんの家はさっきも祐円さんが言ったように、路地の奥まったところにありましてね。用がなければ誰も通らないところ。もし紺が気づかなかったら、危ないところでした。

まさか空き家になった家に初美さんが来ていたなんてねぇ。きっと懐かしくなって顔を出したんでしょう。そこで具合が悪くなったか、あるいは転んで倒れてしまったか。

家は締め切ったままでしたから、かぼそい声で助けを呼んでも、誰も気づかなかったんでしょう。後で病院に顔を見に行ってきましょうかね。


「ベンジャミンが気づいたんだね」

「きっとベンジャミン、前の家も散歩のコースになってたんだよ」

研人と花陽が話しています。

「ねこの、おんがえしですね」

病院に担ぎ込まれた初美さん、どうやら命に別状はないようで、皆でほっとして居間で休んでいます。

「声も出せなかったんだろうな。それでやってきたベンジャミンの首輪に、持ってた文庫本をちぎって巻いて、誰かに知らせようとしたんだなぁ」

祐円さんが差し入れしてくれたアイスクリームを食べて言います。

「にしてもよ、紺。なんでわかったんだ？」

「ページ数だよ」

「ページ数？」

紺が文庫本のページを指で示しました。

「悪戯じゃなければ、この文庫本のページで誰かが何かを伝えようとしてるって思うよね」

「そうだな」

「しかもそれは緊急なんだ。この本を使うしかない状況。でも、いくら文章を読んでも何もわからないしさ。だったらもっと単純なところでページ数かなと思って」

「で？」

「二二九と二三〇ページ、一九、二〇ページと二九、三〇ページ。一回目と二回目で共通しているのは二と三と九と〇だよね。そこまで考えたときに番地かなと思ったのさ」

祐円さんがはたと膝を打ちました。

「番地か！　二丁目の二の九ってわけだ！」

紺が頷きます。

「初美さん、一回目でちょうど二二九ページがあったけど、誰も来ない。もう一度ベンジャミンがやってきたので、今度は二〇ページと二九ページをちぎったんだろうね」

「なんで二ページとか九ページは使わなかったの？　わかりやすいのに」

花陽の言葉に紺がにこっと笑いました。

「本を見てごらん。大抵の本は最初の方は目次とかタイトルとかで、ページ数は入っていないからさ。この本には二ページも九ページもページ数が入ってないんだ」

そっか、と花陽が納得します。

「まぁそれにしてもよ」

勘一が縁側から外を見ました。

「藤島の野郎も言ってたけどよ。どんどん古くなっちまうから、こんなことも起きるんだわな」

新しい家を建てている槌音が、蟬の声に混じって響いていました。

＊

それから二日ほど経った日のこと。じりじりとお天道さまが辺りを焼いて、いよいよ本格的な夏の陽射しです。我が家もあちこちの戸を開けっぱなしにして、できるだけ風の通り道を作ります。

店にいた勘一がカフェの方に一声掛けて、書庫に向かいました。何かを取りに行くんでしょう。書庫である蔵に行くには、縁側から出るしかありません。たたきに置いてあるつっかけをひっかけて、勘一が書庫に入っていきます。

「なんだぁ!?」

書庫に入ってすぐです。勘一の声が響いて、どすどすとそこから出てきて母屋の二階へ声を掛けます。

「おおい！　紺！」

二階から紺が降りてきます。何事でしょうか。

「なに？　じいちゃん」

「おめぇ、書庫の整理の途中でほっぽり出すんじゃねぇよ！」

「なんのこと？」

「なんのことって本が傷むじゃねぇかよぉ！」

あら、本当ですね。書庫の中の一角の本棚から本がたくさん抜き出されています。床に散らばっているものもありますね。

「俺じゃないよ」

「なに？」

紺ではないとすると誰でしょう。

「泥棒じゃないのか？　これ」

勘一の顔が思いっきり歪《ゆが》みました。

「おい！　藍子！」

カフェの方に訊いてみると、藍子も亜美さんも知らないと言います。当然ですね。二人ともカフェの方で働いていたのですから。青は買い物に行ってましたし、花陽と研人は学校です。もちろん玉三郎やベンジャミンやノラもポコもここには入りません。たまに暑い日などはこっそり入って涼んでいるようですが、本に悪さをしたことはありません。

「みすずさんは？」

紺が言うと、はーいと奥で声がしました。息せききって縁側の奥から走ってきましたから、トイレに行ってたんでしょうかね。

「なんでしょう？」

これで全員ですね。

「ということは」

「泥棒かよおい」

「泥棒？」

勘一の声に店先で反応したお客さんが居ます。あら、なんていいタイミングでしょ。茅野《かやの》さんじゃありませんか。

「穏やかじゃないですね、ご主人」

「おぅ、しばらくぶりじゃねぇか」

茅野さん、パナマ帽に白い開襟シャツ、コットンパンツとなかなか洒落た格好です。

「お休みかい」

「そうなんですけど、休みがなくなりそうかな」

お店の奥を覗《のぞ》いて苦笑します。実は茅野さん、定年間近ではありますがれっきとした刑事さん。しかも、第何課でしたっけねぇ、泥棒さんの担当なんですよ。

「いや、まだ決まったわけじゃねぇんだ。ちょうどいいやちょぃと見てくれねぇか」

「じいちゃん、茅野さん休みで来たのに」

「いやぁいいですいいです。失礼しますよ」

笑いながら茅野さん、勘一の案内で蔵の方に回っていきました。この茅野さんも実は古い本が大好きな方でしてね。捜査で外を回るのはいいけれど、町中で古本屋を見つけるとついつい中に入って物色してしまって、若い頃はそれで始末書を何枚も出したとか。安い給料を古書につぎ込んで、奥さんには何度も愛想をつかされているというほどなんですよ。もう我が家に通い出して十何年になりますかね。

紺と勘一と一緒に蔵にはいって行きました。茅野さん、ぐるっと辺りを見回しますが、その眼はもう笑ってません。

「ふーん、荒らしたって感じでもないですね」

「入ったばかりでじいちゃんの声がしたので、慌てて出ていったってところかな？」

紺の言葉に茅野さんも頷きます。

なくなったものはないか調べてみましたが、被害はないようです。確かに書庫は昼間は開けっ放しにしていますし、我が家の庭へは裏木戸からすぐに入れます。けれども裏木戸に通じる小路《こうじ》は豆腐屋の杉田さんところの勝手口ですからね。よっぽど知っている人しか通りませんし、そこが通行できる通りだなんて表からではわかりません。

「ちょいと奇妙だけど、まぁ問題ねぇか」

勘一が言いまして、茅野さんも被害がないなら、と言いますが、なんだかそわそわしていますね。

「ご主人」

「なんでぇ」

「その、被害がないなら、少し見せてもらって構わないですかね？　何せここに入れてもらったのは初めてだから」

紺と勘一が苦笑しました。

「おいまさかおめぇの悪戯じゃねぇだろうな。ここに入りたくてよ」

茅野さん、慌てて両手を振ります。

「とんでもない！　ご主人、私は刑事ですよ？」

好きな方にとってはこの蔵はお宝の山と言いますからね。勘一はじゃあ一時間だけだぞと言いましたが、結局茅野さん、暗くなるまで居ましたよ。まぁよく飽きないものですね。


その日の夜に皆がご飯を食べている最中に、ストーカーのことも泥棒のことも話題になりました。

「なんだか物騒ね」

「暑くて馬鹿なことをしでかす奴も増えるからよ。ちょいと気を引き締めてよ。青、おめぇはどうせ暇なんだから、しっかり見張ってろ」

「いいよ。ついでだからさ、蔵の扉とかに防犯グッズ付けようか？」

「どんなのよ」

「開けっ放しでもさ、スイッチを切らないとブザーがなるとか」

「おぉ、そりゃいいな。何せあそこは一度痛い目に遭ってるからな」

「痛い目？」

紺が訊きます。あぁ、あのことですかね。

「大昔よ、ネズミに入られてな。丸ごと中の本を持っていかれたことがあったのよ」

「初耳だね」

「ネズミって？」

そうですねぇ、あれは先代の頃ですね。勘一がまだ三十やそこらだったですかね。

「ネズミってのは、その当時でここら辺りじゃ有名な若いセドリ師だったんだけどよ。親父にちょいとした恨みを持っていたのよ」

「恨み？」

勘一が顔を顰めます。

「何てこたぁない誤解が生んだ逆恨みみたいなもんだ。ところがあの野郎何人かで組んで相当な数を盗んでいきやがったのよ」

「へー」

先代も地団駄踏んで悔しがっていましたよね。勘一もそのネズミとは同年代でしたし、割りと親しくしていたのですよ。ですからね、裏切られたってそりゃあもう当時は荒れたものですよ。古い話ですけどね。

「みすずさんもな、来た早々あれだけどよ、気をつけてな」

「はい！」

いつも元気なみすずさんに、勘一はにっこり笑顔です。おや、花陽が少しむくれていますね。どうやら我が家のアイドルの座を奪われるようで怒っているのでしょうか。

＊

次の日の午後三時です。勘一が時計を見てよっこいしょと腰を上げました。

「おおい、紺、ちょっと行ってくるから店番頼むぞぉ」

二階から紺の返事が聞こえます。勘一はどすどすと居間に向かい、縁側から書庫に向かいました。書庫ではみすずさんが本の整理をしています。

「おい、みすずさんよぉ！」

「はい！」

みすずさん、勘一の怒鳴り声に慌てた様子で出てきました。怒鳴るのが地なのですが、慣れない方はびっくりしますよね。みすずさんももう少ししたら慣れるでしょうか。

「ちょいと仏間に入るぜぇ。いいかな？」

「あ、はい、どうぞ」

若いお嬢さんには気の毒ですが、空いている部屋は仏間しかないものですし、嫁入り前に青と同じ部屋というわけにもいきませんので、みすずさんにはそこで寝泊まりしてもらっているのです。勘一が仏間に入って、お仏壇からお線香とロウソクを取り出します。みすずさんがそれを見ていて訊きました。

「あの、どちらかお墓参りですか」

勘一がにこっと笑います。

「どうでぇ、ちょいとみすずさんも付き合わねぇか」

言われてみすずさん、取りあえずといった感じで頷きます。

勘一が向かったのは近所の先祖代々のお墓があるお寺です。みすずさんは勘一の後を歩いてついてきて、お寺の中をきょろきょろ見回します。

先祖代々の墓に来ると、勘一は無造作にロウソクを立てライターで火を点け、お線香を近づけます。みすずさんが後ろに立っています。

「今日はよ、連れの月命日だからよ」

勘一がみすずさんに言いました。みすずさん、こくんと頷きます。

「時にあれかい、みすずさん、青の野郎とうちの馬鹿息子の件は知ってるんだろうな？」

「はい、青さんから」

そうかい、と勘一は頷きます。

「まぁうちのばあさんもよ、心配してな。青の野郎には何かと気を使ったもんだけど、まぁあれはあれで性根はなかなかできた奴だからよ……そういやぁ青はちっちゃい頃は何かといやぁ婆さんにくっついていやがったな」

そうでしたね。なにせ秋実さんは我南人というでっかい子供みたいな人の世話できりきりまいでしたしね。懐かしいですね。勘一が手を合わせて、よっと言いながら立ち上がります。

「ばあさんも、青の晴れ姿を見たかっただろうけどなぁ。可愛がっていたからよ」

みすずさんが、少しだけ悲しそうに頷きます。

「まぁな、まだ早いんだろうけどよ。みすずさんも家族の一員として、ちょいと手を合わせといてくれや」

慌ててわたしはお墓の横に立ちました。勘一はともかくとして、手を合わせてくれる人の後ろにいるわけにはいきませんからね。みすずさん、きれいな手を合わせて、眼を閉じてくれました。ありがとうございます。

夜になりまして、それぞれがそれぞれの部屋で寝る前のひとときを過ごしています。

仏壇があります仏間では、勘一が使っていた小さな書き物机にパソコンを置いて、みすずさんが何かを書いて、いえ打っていますね。何かお勉強でしょうか。それともインターネットというものに載せるという日記などでしょうか。日記などは人様にお見せするようなものではないと思うのですが、そうではないのでしょうね今は。

みすずさん、手を休めて、小さな溜息をつきます。何やら少し淋しそうな風情もありますね。

淋しそうと言えば、この二人です。藍子と亜美さんが〈はる〉さんに連れ立って行きカウンターでしんみりと飲んでいます。本当に珍しいですね。

「たまにはいいわよね」

真奈美さんもそうそう、と言いながら二人に冷酒を勧めます。店には他にお客さんは、おやケンさんじゃありませんか。テーブルで向かい合っているのは奈美子ちゃんのお父さんですね。二人で楽しそうに飲んでいます。その後どうなったのか聞いてはいないのですが、でもあの様子なら心配ないんでしょうかね。

「藍子さん」

「なぁに？」

「母がね」

「お母さん？」

亜美さんが唇をへの字にします。

「入院しちゃったんです」

「あら、大変。ご様子は？」

それは心配ですね。何でも生き死にに関わるようなものではないようですが、それまで風邪《かぜ》ひとつひかないようなお元気な方だったらしく、すっかり弱気になられているとか。

「友達から聞いたんですよ。あの通り、父が相変わらずで私には何も言ってこないので今まで知らなくて」

本当に申し訳ないことに断絶状態が続いていますからね。秋実さんが生きていてくれたらまだ良かったんですが、断絶の原因となっている我南人ではねぇ。

「今は自宅療養で家で寝ているようなんですけど」

「心配ね。帰りたいでしょ？」

亜美さん、こくんと頷きます。

「でもね」

「あのお父さんね」

亜美さんのお父さんというのが、これがまた勘一にさらに輪をかけたような頑固な方でして、頑固な上に官庁にお勤めだったお堅い方ですので勘一とも我南人ともどう頑張っても反りが合いません。何せ可愛い孫であるはずの研人にもいまだに会ってもらえないんですから困ったものです。写真などは送っていますし、送り返してはきませんからまだいいとは思うのですが。

「でも、このままっていうのもね。もう結婚して十年よね」

藍子が言うと、亜美さんも力なく頷きます。亜美さんのお母上ももう六十を過ぎた頃でしょうか。身体《からだ》が弱ってくると気も弱りますよね。

話を聞いていた真奈美さんもうーんとおでこに手を当ててます。

どうしたものでしょうね。


そろそろ日付も変わる頃。亜美さんと藍子が〈はる〉さんののれんを出て、家に向かいました。街灯も届かない細くて暗い道がありますが、周りはすべてご近所さんですし、歩いてほんの二、三分です。

「待てよ！」

突然後ろで男の声が響きます。それに続いてバタバタと騒ぐ音や足音。亜美さんと藍子は首をすくめて振り返ります。何事でしょう。さらに続いて男性の悲鳴のようなものも。

「あの声」

「青ちゃんじゃない!?」

駆けつけると、確かにそこに青が倒れています。

「青ちゃん！」

「私、皆を呼んできます！」

＊

「だらしねぇなぁおい」

「しょうがないだろ。こっちはサンダル履きだったんだし」

眠っている花陽と研人以外が居間に戻ってきました。青の腫《は》れたほっぺたにみすずさんが氷を入れたタオルを持ってきて当ててあげました。

話によると、藍子と亜美さんが飲みに行ったというので、青はふと思い立って迎えに行ったそうです。

「ストーカーとかの件もあったからさ」

ところが、二人が〈はる〉さんを出てきたところ、それに合わせるように黒い影が後ろで動いたのだそうです。慌てて路地に入って後ろに回り、声を掛けたところいきなり逃げ出したとか。

「それで追いかけたら反対に殴られたってか」

「ちょっと体勢を崩したら向こうが振り回した手が当たっただけだよ」

「でも」

藍子が不安気な顔を見せます。

「これで、誰かが家を見張っているっていうのは確実よね」

皆がうーんと考え込みます。

「最初は？　カフェの前だっけ？」

「私しかいなかったわ」

「次が研人と花陽」

「今度は藍子と亜美かぁ？」

うーんと皆が腕組みします。みすずさんも不安なのか顔色が悪いですね。

「大丈夫？」

青が気づいて声を掛けると、みすずさんにこっと笑って大丈夫、と言います。

「まぁ夜中に唸っていてもしゃあねぇな」

一眠りしてまた明日の朝考えようや、ということになりました。その方がいいですね。人間は朝の方が賢いといいますから。

ですが、皆がそれぞれの部屋に戻ったと思った瞬間、今度は藍子の悲鳴が響きました。

「なんだ！」

「どうした！」

駆けつけると、藍子は部屋の真ん中で立ちすくんでいます。視線を追うと、そこには藍子の描きかけの絵がイーゼルに立て掛けてあります。

その絵に、斜めに線が入っています。いえ、線ではないですね。切り裂かれています。

「おいおいおい」

勘一が呟きます。

「洒落にならないなこれは」

紺が、口に手を当てました。

＊

研人と花陽が不思議そうな顔をしています。いつもなら賑やかな朝の食卓が、まるでお通夜のようです。

「なんかあったのかな？」

「知らないわよ。とにかく黙って食べなさい」

ひそひそ声で、研人と花陽が喋《しゃべ》っています。

「どうするかな」

「どうするもこうするもよ。警察に行くしかねぇだろうよ。それとも茅野をよ、呼ぶか？」

紺と勘一の会話に青が言います。

「いや警察はまだ早いんじゃないの？」

「そんなこと言ったってよ」

「警察ってなにぃ？　物騒だねぇ」

いきなり我南人が庭から帰ってきました。

「おじいちゃん！」

その姿を見て花陽が眼を白黒させています。他の皆も飲み込んだご飯を咽につまらせたり咳《せ》き込んだりしています。わたしも思わずひっくり返りそうになりました。

「おめぇ！　なんだその格好は！」

「結構決まっていると思うんだけどねぇ」

黒のダークスーツ姿です。確かに長身ですし日本人離れした顔立ちですからぴしっと着こなして様になってはいますね。ですが、今までそんなのを着たのを見たことがありません。外出時のトレードマークの真っ黒なサングラスも、べっ甲縁の普通の眼鏡《めがね》になっていますし、なんと言っても、あの見事な長髪の金髪が真っ黒な短髪になっているのです。まるで別人です。

今まで何があろうと切ろうとしなかったあの髪です。

「ロックは反抗だねぇ。そしてこの髪はその印だねぇ。命取られてもこの髪は切らないよぉ」

そう言っていた髪を切っています。大昔はいつもそれで勘一と大喧嘩《おおげんか》になっていた髪の毛を。

「親父、どうかしたのか？　何があった？」

紺が本気で心配そうな顔を向けます。無理もありません。たかが髪の毛にこだわる父親の気持ちをいちばん理解していたのは紺ですから。けれども、それに構わず、我南人は亜美さんの方を向きました。

「亜美ちゃん」

「はい！」

「行くよぉ。紺も研人もちゃんとおめかししてねぇ」

「行くって、あの、どちらへ？」

「決まってるじゃない。脇坂《わきさか》のお宅だねぇ」

脇坂というのは、亜美さんのご実家です。亜美さん、大きな眼をさらに大きくして驚いています。

「もういい加減、ちゃんとしておかないとねぇ。あちらのお父さん、僕のこと嫌っているけど、これぐらいやっておけば許してくれるんじゃないかなぁ。どうだろうねぇ」

藍子と亜美さんが、はっと気づいて顔を見合わせます。

「お父さん、それって」

「うちの母のこと、ですか？」

我南人が頷きます。

「きっとねぇ意地を張るのにもう皆疲れているんだと思うんだよねぇ。僕は全然平気なんだけどぉ、このまま放っておくのもLOVEがないねぇ。僕がスタイルを捨てて脇坂のご両親が許してくれるなら、亜美さんと紺のためならそれでいいかなぁってねぇ」

「お義父《とう》さん」

亜美さんの瞳が潤んでいますね。

我南人はいったい誰に聞いたのでしょう。事情がよくわからない勘一や青や紺でしたが、今までの会話からおおよその見当はついたようです。

「ひょっとして、あれかよ。脇坂の誰か具合でも悪いとかかよ」

勘一が訊きますと、亜美さんが済まなそうに頷きます。

「母が、入院したとかで……」

勘一の顔がみるみる真っ赤になりました。

「馬鹿野郎！　何で早く言わねぇんだよ！」

勘一ががばっと立ち上がります。

「おい！　藍子！　俺の紋付袴《もんつきはかま》出せ！　青も紺もええぃ花陽も研人もだ！　全員の一張羅出せ！　皆で脇坂の家へ頭下げに行くぞ！」

どすどすと歩き始めましたが、ぴたっと立ち止まります。

「おっと、みすずさんもだ。おい藍子か亜美さん、いい服貸してやれ」

「私もですか？」

驚くみすずさんに勘一はにこっと笑いかけます。

「面倒かけるけどなぁ、あんたも家族になるんだからよ、協力してくれや」

さぁそれから大騒ぎです。玉三郎もベンジャミンもノラもポコも落ち着きません。家の中をにゃあにゃあ鳴きながらウロウロしています。

「馬鹿野郎、着物があるなら着物着ろよ！」

「え、でも着付けなんて」

「皆、着替える間にご飯食べてていいかなぁ？」

「黒のワンピースでいいんじゃないの？」

「あ、じゃあお味噌汁、温めますね」

「葬式じゃあるまいしよこれから仲良くやろうってんだからもっと明るい格好の方がいいだろうよ」

「君。誰ぇ？　可愛いねぇ」

「お母さん私何着たらいい？」

「僕はー？」

「あ、はじめまして、牧原みすずと言います」

「何おめぇはのんびりメシを食ってんだよっ！」

「みすずちゃんかぁ。いい名前だねぇ。で、なんでここにいるのぉ？」

「ごめんください」

「ごめんくださいだってよ。誰か店に来たんじゃねぇか。おい青、札出しとけ札。本日休業」

「あいよ」

みすずさんのことを説明しようとしていた青が、玄関の方に行ったと思ったら、突然に、あ！　という大声が上がります。皆の動きがピタッと止まりました。

「お前！　ストーカー！」

「なにぃ!?」

皆がどかどかと玄関先へ向かいます。玄関先には初老の紳士と、若い男性が立っていましたが、あらっ、この方は。

「お父さん！　修平《しゅうへい》！」

「脇坂さん！」

そうなのです。亜美さんのお父さんである脇坂和文《かずふみ》さんではないですか。まぁどうにもお久しぶりなのですが。若い方には見覚えがありませんでしたが、亜美さんが修平と呼んだからには。

「ストーカーって」

「こいつだよ！　この男！　俺を殴ったの！」

若い方が、ぺこりと頭を下げました。

「すいませんでした！」

弟さんの修平さんでしたか。そういえば随分と年が離れていらっしゃる姉弟で、亜美さんが結婚した当時はまだ十歳でしたね。まぁご立派になられて。

「あの」

騒ぎの中で脇坂さんは口を開きます。

「朝早くお邪魔して申し訳ありませんが、あの、皆さん、御婚礼か何かで？」

紋付袴を着た勘一が、何やら口中でもごもご言いました。

四

図らずも、まるで結納がこれから執り行われるようになってしまいました。

座卓の奥側に紋付袴を着た勘一、ダークスーツを着た我南人、三つ揃いを着た紺に亜美さん、研人。縁側の方には、脇坂さんに修平さん。他の皆は襖《ふすま》を開けた仏間の方に座っています。

皆が押し黙る中、藍子とみすずさんが皆に麦茶を出したところで、勘一が我南人を突っつきます。

「おめぇだろうよ、口火切るのはよ」

「脇坂さん、お久しぶりでした」

皆がぎょっと驚きます。いつもの我南人の口調じゃありません。

「こちらこそ、ご無沙汰《ぶさた》をしまして」

「先を越されてしまいましたが、たった今、こちらからお伺いしようとしていたところです」

脇坂さんが頷きます。

「まずは、私の方から謝罪させてください。実は、この修平ですが、先日こちらの青さんを殴ってしまったとかで」

「そうなのぉ？」

そこだけ口調が戻りました。そういえば我南人はそんなこと知らないのですね。

「お詫び申し上げます」

脇坂さんと修平さんが頭を下げます。

「どうも、亜美の様子を見に来たようなのですが、いかんせん男のくせに気が弱く、関わることを固く禁じてきたものですから、こっそり会おうとしてそんなことになってしまったようなのです」

修平さんがぺこりと頭を下げます。そういえばまぁ気が弱そうな、良く言えば優しそうな雰囲気です。我南人はうむと頷きます。

「いや、それじゃあそれもこれも、僕の不徳の致すところでしょう。亜美さんという紺にはもったいないほどのお嬢さんをいただいておきながら、これまでの不実な振る舞い、誠に申し訳ありませんでした」

我南人が頭を下げます。あの我南人がです。傍若無人天上天下《てんじょうてんげ》唯我独尊《ゆいがどくそん》の我南人が、こんな立派な口上を述べて頭を下げているのです。まぁ勘一の驚くこと驚くこと。慌てて自分も頭を下げます。

「儂《わし》からも、この通りです。聞けば、奥様が大変なことになられているって言うじゃありませんか。いつまでも、亜美さんがご実家に帰られねぇんじゃあんまりにも可哀相で。こうして皆揃って頭を下げに伺おうと思っていた次第です」

脇坂さんも、頭を深く下げます。我南人が顔を上げて真剣な顔で言います。

「今さらですが、脇坂さん。これまでの経緯を水に流していただけませんか。不肖の息子ですが、この紺と亜美さんの結婚を許していただき、我が堀田家と末長くお付き合いいただくというわけにはいきませんか」

脇坂さん、表情を硬くして、それからじっと大人しくしている研人の方に顔を向けました。

「妻は、送っていただいた研人くんの写真を日々眺めておりました。それなのに私は妻が淋しがる様子にも気づかぬふりをしていました。周囲から言われるとますます頑《かたく》なになっていました」

脇坂さん、大きく溜息をつきます。

「水に流していただくのをお願いするのはこちらの方です。堀田さん。どうぞこの馬鹿な父親をお許しください」

亜美さんの方を見ます。

「済まなかった」

「お父さん」

亜美さんの瞳から涙がこぼれていますね。

「堀田さん、紺くん。どうぞ、亜美をよろしくお願いします」

藍子もみすずさんもぽろぽろ涙をこぼしています。あぁ花陽まで涙ぐんでいますね。

研人はきょとんとしていますが。

「研人」

我南人に呼ばれて、研人は何事かと返事をします。

「お母さんのお父さん、つまりお前のもう一人のおじいちゃんだ。ご挨拶しなさい」

言われて研人は脇坂さんを見ます。脇坂さんも笑顔で研人を見つめます。

「こんにちは！」

ぺこんと頭を下げました。

「こんにちは。よろしく、研人くん」

それから、脇坂さんは言いました。

「今度、うちにも遊びに来てくれるかな？」

「うん！　いいよ」

皆の顔がほぐれます。ホッと肩の荷を下ろしたように勘一の背中が丸まりました。

「それじゃあねぇ」

我南人がいつもの口調に戻りました。

「さっさと、亜美さんと紺と研人は行ってきなさいねぇ、脇坂家」

「今すぐですか?」

「善は急げだねぇ。僕はもうこの堅苦しいの脱ぎたいから、後で顔出すからねぇ、あぁ花陽も一緒に行ってくるといいねぇ」

「私も?」

「せっかくいい服着て別嬪さんになってるんだからねぇ」

＊

「いやまぁしかし、一安心ってやつだな」

麦茶を一口美味しそうに飲みながら、勘一が言います。

「あれだ、咽につっかえてた魚の骨が取れたってもんだよな」

夜になって紺と亜美さんと研人と花陽が脇坂家から帰ってきました。なんですか、脇坂のお母さんも涙を流して喜ばれていて、これでゆっくり養生もできるとか。研人はさっそくお小遣いを貰《もら》いまして、その上なにやらたくさん買い込んでもらっていました。

一緒に行った花陽も同様です。

「九年分のお年玉と誕生日プレゼントを買うって、父が張り切って」

亜美さんの瞳がまた潤みます。あんなに相好《そうごう》を崩しているお父様を見るのは初めてだったとか。そりゃあね、そうでしょう。孫は可愛いものですよ。今まで随分と無理していらっしゃったのではないでしょうか。

「あんまり甘やかさないでもらわないとな」

紺も嬉しそうに言います。

「ま、万々歳ってわけだ。ゆっくり寝られるぜ」

勘一が言いますが、すぐにはたと思い当たったように天井を見上げます。皆も何があるのかと同じように見上げました。

「何か忘れてねぇか？」

「そうだよ。万々歳じゃないよ」

紺が言います。

「ストーカーの件は、亜美さんの弟さんってわけだったけど、蔵の泥棒とあの絵は」

勘一がぺしんとおでこを叩《たた》きます。

「忘れてたぜ。あの修平って奴の仕業じゃねぇんだよな」

「違うと言ってたよ。大体そんなことする理由がない」

「だよなぁ……おい我南人の野郎はどこ行ったんだ。また消えたのか？」

みすずさんが慌てて言いました。

「あ、先ほど、髪を元に戻してくるからねぇと言って」

勘一がしょうがねぇなぁあのろくでなしと毒づきます。

「何にしても、まだ注意が必要だってことだよね。戸締まりとかいろいろ気をつけよう」

紺の言葉に皆が頷いていました。

＊

あら、我南人が〈はる〉さんに居るじゃありませんか。なるほど、また髪の毛が金髪になっていますね。隣で飲んでいるのはケンさんですね。

「お似合いでしたのに、黒髪」

真奈美さんが我南人の持つコップにビールを注ぎます。

「まぁいいけどねぇ。誰なんだかわかってもらえないしねぇ」

「良かったですね。亜美さんもホッとしたでしょ」

ケンさんも頷いています。なるほど、我南人が亜美さんの件を知ったのはこの二人からでしたか。そういえば亜美さんと藍子が話しているときにケンさんも居ましたものね。

でもちょっと待ってください。ということは真奈美さんかケンさんのどちらかが、我南人の居場所を知っていたということになりますね。さて、これはどちらでしょう。ケンさんならまぁいいのですが、真奈美さんというのは。

困りますね。そんなことになっているとしたら、春美さんに合わす顔がありません。第一、真奈美さんは藍子の後輩なのですから、いくら我南人とはいえ、娘と変わらない年齢の娘さんに手を出すとは……考えられてしまうのが困った息子です。しばらく様子を見た方がいいかもしれません。

「青ちゃんもお嫁さんが決まったみたいだし、おめでたいこと続きね我南人さん」

「お嫁ぇ？　青にぃ？」

我南人がびっくりしています。あらまだ聞いていなかったのですね。真奈美さんが説明してあげています。

「あぁ、みすずちゃんってそうだったのぉ。へぇえ、青にねぇ。そうかぁ」

何やらニヤニヤしています。これで我南人はなかなか子煩悩《こぼんのう》なので、嬉しいのでしょうね。

「んーと、なにみすずちゃんっていったっけ？」

「牧原みすずさんって」

「あぁそうだったねぇ。でもそれじゃあまたご両親に挨拶に行かなきゃならないんだねぇ」

面倒だねぇと言いながらも笑っています。

「あ、でもその心配はないみたいよ」

「どうしてぇ？」

「なんでも、お母さんは中学のときに、お父さんは今年亡くなられたとかで、一人きりなんですって」

「ふーん」

我南人はそおぉ、と言いながら何か考えています。

「ちょっと電話してくるねぇ」

そう言いながら店を出て行きました。

五

さて、それから三日が過ぎました。

どうやらぶっそうなことは何事も起こらず、平和な日々が過ぎています。花陽も研人もあれこれと夏休みの計画を立てているようです。嬉しいことに今年は葉山の方でのんびりと海水浴ができるとか。

「ラッキーだよねー」

花陽がにこにこしています。なんでも脇坂さんのご親戚《しんせき》があちらで旅館をやっていらして、何日でも泊まって海水浴を楽しんでいいとお申し出があったようです。亜美さんのお母さんはまだ床を離れられないようですが、脇坂さんや修平さんが交代でお相手をしてくれるとか。

「うちからは青だってみすずさんだって行けるだろ。向こうにガキ二人まかせっぱなしってわけにもいかねぇわな」

「そうですね」

みすずさんも何かと騒がしいこの家にすっかり馴染《なじ》んだようです。元々が本が大好きでやってきたのですから、仕事の方もほとんど古本屋の手伝いをしているようです。なにせ家の空いているところあちこちに本が積んであるこの家ですので、整理するのも一苦労。

ところがみすずさんはそれを嬉々《きき》としてやってくれるというので、勘一も紺も本当に喜んでいます。

ただ、どうしても気になることがあるのですね。みすずさん、どうにも元気がないような気がします。皆の前では明るく元気よく振る舞っているのですが、一人で部屋に居るときなど、溜息が尽きません。涙ぐんだりしているときもあるのですよ。そんなところはわたししか見られませんからね。どうにも気になって紺に話したいのですが、なにせ仏間はみすずさんの部屋になっていますのでなんともできません。

もうひとつ。青ですね。

青はみすずさんが来てからどうにも覇気がないのです。本当に恋人なのでしょうかとも思ってしまいます。

なにせ、わたしでさえ、この二人が二人きりで居るところを見たことがないのですよ。ですので、最近のわたしはいつもみすずさんの後をついて歩いています。いえ、誤解のないように申し添えますと、本当にみすずさん、良い子なのですよ。それは保証いたします。

今日もみすずさんは、書庫の整理をしています。目録作りはこれでなかなか大変なもので、今まで我が家の古本全ての目録というのはできた例《ためし》がないんですよ。この際だからと勘一はみすずさんにリストになっていない本の整理を頼んでいます。

おや、休憩でしょうかね。みすずさんが書庫から出てきました。台所の方に行って、麦茶をいただいていますね。ほっと一息、溜息をつきました。

古本屋の方にはいつものように勘一が。カフェの方には亜美さん。紺は外出中ですし、青と藍子は花陽や研人を連れて買い物に行っています。

みすずさん、二階の方へ上がっていきます。さて、二階にある本の整理をするのかと思えば、藍子と花陽の部屋へ入っていきます。もちろんそこにも空いているスペースには本は詰まってはいますが、誰もいないときに入っていくとは、少し妙ですね。

みすずさん、あちこちに積んである本を調べています。やはり目録の整理をしているのでしょうか。

「ただいまー」

あぁ、花陽たちが帰ってきたようです。みすずさんも顔を上げて、部屋を出て行きます。少しおかしな風情が気になりますが、さて、なんでしょうか。

その日の夜です。

「じいちゃん」

紺が書斎に居た勘一に声を掛けます。

「おぉ、なんでぇ」

「ちょっと話があるんだけどさ」

「いいぞ」

「居間に来てよ」

なんでぇめんどくせえな、などと言いながら勘一が腰を上げます。おや珍しい、我南人も居ますね。藍子に亜美さん、後から青もみすずさんも居間に入ってきました。

「なんでぇ皆揃って。家族会議か？」

勘一がどっかと座り込みます。

「蒸すな、今夜は」

団扇《うちわ》を手に取り勘一が煽《あお》ぎます。

紺が我南人に言いました。

「どうする？　僕が話す？」

「そうだねぇ。僕が話すとわけわからなくなるかもねぇ」

自分のことはわかっているのですよね。さて、なんでしょう。

「姉さん」

「なぁに」

紺が正座をしました。その様子に藍子も顔をしかめます。

「これから、姉さんが隠してきたことを話そうと思うんだけど、いいかな」

皆がしーんとしました。

「隠してきたこと？」

「花陽の、父親のこと」

亜美さんがはっと息を呑《の》みました。勘一も思わず背筋を伸ばしました。藍子はじっと紺を見つめています。

「それは、今日ここで言わなければならないことなのね？」

藍子の問いに紺が頷きました。

「機が熟したんじゃないかな。僕はそう思うよ」

そう、と小さく呟いて、藍子は眼を伏せました。それから、顔を上げてしっかりと紺を見つめます。

「私は、一生それを口にしないと決めたの。でも、紺ちゃんが皆に話すのを止めはしないわ」

紺が、少し考えてから頷きました。

「結論から言ってしまうと、花陽の父親は槙野春雄《まきのはるお》さん。姉さんの大学の教授だった人だね」

「きょうじゅぅ？」

勘一が眼を見開きました。

「教授って、あの教授か？　先公か？」

「そうだね」

「てめぇの教え子に手を出したってのか！」

勘一の顔が真っ赤になります。

「怒るのは話を聞いてからにしてよじいちゃん。それに、怒ってももうどうしようもないんだ」

「どういう意味でぇ」

「槙野春雄さんは、もう亡くなってしまったんだよ。ほんの三週間ほど前かな」

亜美さんも勘一も驚きます。ところが、我南人も青も驚きません。知っていたのでしょうか。我南人は腕組みしてじっと眼を閉じています。寝ているようにも見えますが。

「姉さんが、そう決めたことなんだ。今さら怒ってもしょうがないよ。じいちゃんだって姉さんのことはわかってるだろう？　生半可な気持ちじゃなかったんだと思うよ」

「そら、そうだろうけどよ」

「奥さんも子供もいる教授と愛し合って、子供ができて、それを一人で育てていこうと決めて今までやってきたんだ。二人の間でどんな話がされたのかはわからないけど、姉さんがその教授を愛して、そして授かった花陽を大切に大切に育ててきたのは事実なんだ。向こうに迷惑を掛けることなく、ひょっとしたら黙っていたのかもしれないよ。ただ一度きりのことだったのかもしれない」

勘一がぎょろりと紺を睨《にら》みます。

「調べてきたのか」

紺が頷きます。

「槙野さんという人は、決して浮ついた人じゃなかったよ。学生からも学校からも信頼が厚くて、いい先生だったみたいだ。そしていい夫であり父親だったようだよ。決してただの遊びで自分の教え子を抱くような人じゃなかったようだ。それなりの覚悟もあったんだと思う。真剣に姉さんのことを愛したのかもしれない」

「馬鹿野郎」

勘一が言います。

「そうでなきゃ困るってもんだ。それよりよ、おめぇさっきから誰に向かって喋ってんだよ」

紺がにっこりします。

「さすがじいちゃん」

ふん、と勘一が鼻を鳴らします。

「誰にでもわからい……で、今まで調べようにも調べられなかったそんなことがわかったきっかけってのは、我南人、おめぇか」

我南人が眼を開けて、ゆっくりと頷きます。

「覚えていたんだよねぇ、僕は。その教授の名前。あの当時だけど、ひょっとしたらって思ってね。槙野さんのことをちょっとだけ調べたんだよぉ。もちろん奥さんやお子さんのこともね。あの頃は、お子さんまだ十歳かそこらだったかなぁ。年取ってからできたお子さんでねぇ。溺愛《できあい》していたみたいだったねぇ」

「で？　もったいつけねぇで早く言えよ」

「お子さんの名前ねぇ、槙野すずみちゃんって言うんだよ。少し変わった名前だったから覚えていたんだよねぇ」

亜美さんが、槙野すずみ、と呟きました。

「似ているよねぇ、牧原みすず、槙野すずみ……親父ぃ」

「なんでぇ」

「花陽とみすずちゃん、どことなく似ていないかい？　目元といい、鼻筋といい」

勘一が、むむぅと唸って、みすずさんを見ます。みすずさんは、ずっと下を向いています。青が唇を引き締めています。

「M大学ね、行って調べてきたんだ。国文学科に牧原みすずさんはいないんだよ。槙野すずみさんはいたけどね……この話はね、槙野春雄さんの妹さん、井口聡子《いぐちさとこ》さんから聞いてきたんだよ。その妹さんも、槙野さんが死ぬ間際にいろいろと教えられたんだってさ」

皆が沈黙する中、みすずさんの声が聞こえてきました。泣いています。ポタポタと手の上に涙がこぼれ落ちています。

「ごめんなさい！」

顔を上げて、そう言いました。可愛い顔が涙でぐしゃぐしゃになっています。そういう事情でしたか。一人きりで部屋にいるときにどこか淋しげな風情があったのはそのせいですね。皆を騙《だま》しているのが辛《つら》かったのでしょう。みすずさんではなく、すずみさんというのですね。どっちにしても可愛い名前じゃありませんか。

勘一がそっと手を上げて、みすずさん、いえすずみさんの頭をぐしゃぐしゃと撫《な》でます。

「まぁ大方そんなようなこったろうと思ってたけどなぁ」

＊

「父が、最期に、私に言ったんです。お前には妹がいるかもしれないって」

泣きじゃくるすずみさんに、藍子が優しく背中をなでてあげました。亜美さんがハンカチを貸してあげました。男たちは何もできませんので、ただ煙草を吹かしたり麦茶を飲んだりしているだけです。

そんな中で青だけは、すずみさんの手を握ってあげていました。

そして、ようやく落ち着いたすずみさんが、そう話し始めたのです。

「驚きました。優しいけど真面目《まじめ》で堅物の父でしたから。何もしなくてもいい。ただ、もし将来そういうようなことで何かが起きたなら、それを黙って受け入れてほしいと」

信じられなかったそうです。

「そんな証拠が、つまり、父が母以外の女性を愛したなんて、そんな証拠はどこにあるのかと思わず訊いてしまったんです。父は困った顔をしていました。名前も何も教えてくれなかったら、信じられないと」

それで、訊き出したそうです。藍子の名前とどこに住んでいるのかを。

「俺とは、偶然会ったんだよ」

青が続けました。

「もう一年ぐらい前かな。これは本当に偶然さ。彼女の友達を通してね。そのうちに紹介しようとは思ってたけど、まぁしそびれてて。そのうちにお父さんにその話を聞いて、名字と店の名前から彼女は俺が藍ちゃんの弟だって知ったってわけ。俺も驚いたよ」

「あの、でも」

すずみさんが慌てたように言います。

「青さんを好きになったのは本当です。本当にそういうことなんか関係なく、それは話を聞いてからは少し悩んだりもしましたし、別れようと思ったこともあったけど、お嫁さんになりたいと思ったのは、今もそう思っているのは本当なんです！」

皆が少し微笑《ほほえ》みました。

「疑っちゃいねぇよ……ただなぁ、こうして我が家に押しかけてきたのは、なんか目的があったんだろうよ。疑いたくはねぇが、あの泥棒騒ぎや藍子の絵の件とかは？」

紺が頷きます。

「それも調べたんだけどさ、あの日茅野さんが居たよね？　帰った後に電話があって、どう考えても家の中にいる人の仕業だろうって。そしてね」

「うん」

「あのときのことを考えると、一人きりでいたのは僕とすずみさんだけなんだ。そして、もしすずみさんが蔵の中に居たとして、じいちゃんが大声を上げてまた家の方に来たときにすぐに出ていって、離れの方からトイレに回ることはできるよね。すずみさん、あのとき妙に息切れしてたよね」

すずみさん、一歩引いて藍子の方に向かって、頭を下げました。畳におでこがぶつかってしまうぐらいに。

「ごめんなさい！」

藍子が、優しく微笑んで、すずみさんの頭を上げさせました。

「本でしょう。あの本を、探していたのね」

「本？」

皆が怪訝《けげん》そうな顔をします。藍子は頷きました。

「ちょっと待っててね」

藍子が二階に上がって持ってきたのは、なんですか随分と分厚く古い本です。学術書のようですね。勘一が受け取って、眼を細めて見ます。

「『江戸漢学と近世近代小説』槙野……すずみちゃんの親父さんの書いた本じゃねぇか」

「奥付のところ、見て」

勘一が開いたところを皆が覗き込みます。わたしも上から覗き見ました。何か書き込みがありますね。

「支えてくれた、たった一人の人に。ありがとうを込めて……これは？」

「奥様へ、贈った本なの。先生の最初の学術書。苦労を掛けた奥様にプレゼントした本」

なるほど、そのための書き込みですか。

「この本のこと、すずみさん知っていたのね」

すずみさんが頷きます。

「母によく見せてもらっていました。父が書いてくれたたったひとつきりのラブレターだって、母がすごく幸せそうな顔をして、そう言っていたんです」

「この本を、私にあげたとお父さんに言われたのね？」

すずみさん、こくりと頷きました。

「それを探しにか」

青が続けます。

「信じられないってさ。すずみ、あんなに母を愛していた父がその証拠を他人にあげたのが。そんな女性がいるってことが、許せなかったんだろうと思うよ。きっと無理やり持っていったのに違いないってさ……藍ちゃんはそんな女じゃないって、俺は言ったんだけど、でも納得しないだろうなって思ってた」

済まなそうに、藍子に向かいます。

「まさか、本当に探しに来るとは思ってなかった。冗談だと思ってた。偽名を使えばなんともない。お嫁さん候補だって乗り込めば、うちの家族のことだから面白がってきっとそのまま家に居つけるよ、なんて言ったのは俺なんだ」

ごめん、と青も頭を下げました。

「絵を切り裂いたのは？」

紺が言うと、すずみさんが何か言いかけるのを藍子が遮りました。

「あれはね、すずみさんのお父さんを描いている絵だったの。描きかけだったから、皆にはただの人物のスケッチにしか見えなかっただろうけど、すずみさんにはわかったのよね」

すずみさん、また泣きそうになり頷きます。

「……見た瞬間に頭の中が真っ白になっちゃって。気がついたらあんなことをしていて」

「いいのよ」

藍子が微笑みます。

「私もね、何が何だかわからないうちにあの絵を描こうとしていたの。あなたのお父さんが亡くなったと聞いて、行ける立場ではないのにお葬式の会場まで行って、ふらふらしているうちに描き始めてしまって……でも、あれで、何て言うか、うまく言えないけど」

藍子の瞳が少し潤んでいます。

「私こそ、ごめんなさい。この本は、私が無理やりにお父様からいただいてきたの。若気の至りといっては、また怒られるだろうけど、何かの証《あかし》しが欲しかったの」

藍子が本を手に取り、畳の上をすずみさんの方に少し滑らせます。

「お返しします。本当に済みませんでした」

すずみさんに向かって、深く深く頭を下げました。

「まぁあれだねぇ」

皆が沈黙するなか、我南人が声を上げます。

「結論として、青も尻に敷かれそうだってことだねぇ。すずみさんを怒らせない方がいいってことだねぇ」
皆が少し笑います。亜美さんが、おかしそうに言いました。
「お義父さん、青もってことは、それは私が怖いということですね？」
「ちげぇねぇな。青の女を追い返すときの亜美さんは俺もちびりそうなぐらいだから
よ」
勘一が言って、今度こそ皆は大声で笑いました。

＊

「ばあちゃん」

あの夜から一週間が過ぎています。すずみさんは自分の家に帰って、仏間は再び誰も居ない部屋になっています。紺が仏壇の前に座りました。

「はい、お久しぶりだね」

「うん。またこの部屋にお客さんが来るよ」

「あら、それじゃあ」

「すずみさんがね、あらためて、古本屋修業をしたいんだってさ」

「物好きな娘さんだねぇ」

「まったくだ。ついでに花嫁修業もするって言ってるんだけど、ばあちゃんも母さんも

いないしさ。藍子と亜美に先生が務まるかね」

「筋は悪くないでしょう。大丈夫ですよ。それより紺」

「うん」

「花陽はむくれてないかい？」

「あぁ、大丈夫。青から話を聞いてさ。すずみさんは女スパイみたいだってすっかり感心してたし、お姉ちゃんなんだってことで喜んでたよ。意気投合したみたいだよ」

「おやまぁ」

「まぁ心配ないよ。また賑やかになるよ」

「藍子は、大丈夫かねぇ。あの本、きっと本当に教授さんから貰ったものだと思うよ。無理に奪ってくるような娘じゃないよ」

「あぁ、そうか……そうだね。でも大丈夫だろ。そう決めたんだったら」

「そうだねぇ。まぁ丸く収まったからね。あの子もそれだけ大人になったってことだね」

「もう充分オバサンだよ……あれ、終わったかな？」

はい、お疲れさまでしたね。紺がおりんを鳴らして苦笑します。

なんにせよ、家族が増えるというのはいいことですね。これでまた楽しみができたというものです。青の花婿姿が見られるのは、いつでしょうね。

秋 犬とネズミとブローチと

一

残暑も抜けたのか朝晩はめっきり涼しさを感じるようになってきました。

あちらこちらの木には秋の味覚の実る頃で、ちょいとご近所を見回しても、柿の木、栗の木、どんぐりに銀杏《ぎんなん》。ここらあたりはどこも庭といっても小さなものが多いですが、その中に皆さんそれぞれにお好きなものがたわわに実ります。

金木犀《きんもくせい》の香りが辺りに漂ってくるのもそろそろでしょうか。あの香りを嗅《か》ぎますと、あぁ秋だな、そろそろ冬の話もあちこちから聞こえてくるのだなと思いますね。幸いにして、こんなふうに暮らしていてもそういった香りを楽しむことができます。まぁ、美《お》味《い》しいものを食べられないのは残念なのですけど。

　そんな十月のある日です。

　相変わらず、堀田家の朝は賑《にぎ》やかです。賑やかなのですが、いつもに輪をかけて賑やかです。と言いますのもね。

　あぁそちらまで聞こえます？　あのどたばたと走り回る猫たちと犬たちと研人と花陽の足音が。

　いつものようにふらりと居なくなっていた我南人が昨日の夜に帰ってきたのですが、なんと小犬を抱えていたのです。それも二匹も。なんですか、道端に段ボールに入れられて捨てられていたとか。真っ白と茶色の丸っこい小犬です。

「雑種かしらね」

　動物なら何でも好きだと言う亜美さんは抱きかかえて言いました。

「そんな感じかな。足も太くないし、中型犬かな」

「どうすんだよ。家には四匹も猫がいるんだぞ」

「しょうがないねぇ。拾ってきちゃったんだからぁ」

「てめぇが言うなよ」

　まったく六十にもなって本当に子供みたいです。

「あ、見てください！　ちゃんとお座りしますよ！」

すずみさんもニコニコして、手を叩《たた》きます。あら本当ですね。基本的なしつけはできているということでしょうか。

「しょうがねぇなぁ。まぁ花陽や研人に世話させろや。もう一人前にできるだろ」

そんなわけで、今朝《けさ》から四匹の猫と二匹の犬を慣れさせるために、家の中をああして走り回っているというわけです。

まだ若いノラとポコは二匹の犬と駆け回りしっぽを立てたりじゃれあったりしていますので、まぁ問題ないのでしょう。そのうちに慣れてくれるでしょう。玉三郎とベンジャミンは我関せずとばかりに家の屋根の上に避難していったようです。飼うとなれば名前を付けなければいけませんね。

「ねぇ私と研人で一匹ずつ名前つけていい？」

「そう言えばねぇ。ケンちゃんが一緒に暮らすらしいよぉ」

「おい、ソース取ってくれソース」

「飼うのは家の中でいいんじゃない？　大きくならない感じだし」

「あら、おじいちゃん目玉焼きにソースかけるんですか」

「学校で考えるから帰ってくるまで勝手に名前付けて呼ばないでよ？」

「へー、良かったじゃない。あのマンションで？」

「こないだ間違ってソースかけたらよ、けっこうイケるんだこれがな」

「本籍《かじ》ったら大変だから、ちゃんとしつけないとね」

「いや、手狭だから引っ越すらしいよぉ。まぁご町内らしいけどねぇ」

「おじいちゃん！　ソースかけたのに七味もかけるんですか!?」

「いいんだよ！　好きにさせろよてめぇの食いもんぐらいよぉ！　おい研人花陽」

「なぁに？」

勘一、にっこり笑って二人に言います。

「あの犬っころの名前だけどよ。二匹ともメスだからよ、アキとサチってのはどうだ」

それはひょっとして、わたしと秋実さんの名前でしょうか。

「秋に拾われてきて幸せになったんだからよ。ちょうどいいじゃねぇか」

研人と花陽は顔を見合わせます。大人たちは微妙な顔をして天井を見上げたり、口の中で名前を呟《つぶや》いていますね。研人と花陽はにっこり笑って頷《うなず》きました。

「いいよ！　じゃあ茶色の方がアキね」

「白っぽいのがサチだね」

まぁ光栄なのかなんなのかわかりませんが、これから誰かが犬を呼ぶ度に振り返ってしまいそうですね。天国の秋実さんも苦笑しているんじゃないかしらねぇ。

「気をつけてねー」

「おみやげねー」

朝ご飯が終わるとすぐに店先で花陽や研人に見送られて、紺が出掛けていきました。これから車で岐阜までの長旅です。

＊

昨日の夜のことです。

「岐阜の温泉てぇと、飛騨《ひだ》とかよ下呂《げろ》とかよ。いいところじゃねぇかおい」

勘一が悔しそうに言います。

「いや、どうやらそういうところからは外れているらしいよ。だから廃業するんじゃないの？」

一本の電話が我が家に入ったんですよ。何でも岐阜の小さな温泉宿のご主人なんですが、後継者もなく近々旅館を廃業するとか。それで家のこまごましたものを整理しているんですが、お祖父《じい》さんが残した書物がかなりの数にのぼるとか。捨てるのも忍びないので地元の古本屋さんに売ろうとしたのですが、息子さんがこちらにいらしてたまたま我が家のことを教えてもらったとか。

「東京の店の方が高く買い取ってくれるんじゃないかってさ」

「やっぱりそうなんですか？」

すずみさんが勘一に訊《き》きました。

「いやまぁ目録売りもあるし、今はネットもあるからなぁ。一概には言えねぇけど市の規模から言えばそりゃあこっちがでかいし、古書なら買い手の付きやすさはあるな」

蔵書の数は千二千ではきかないと言いますし、何よりそういうところには掘り出し物の匂《にお》いもありますからね。交通費をかけても行きたいと思うのは古本屋根性です。

「ま、じいちゃんには長旅はきついから、ここはまかせてもらおうかな」

嬉々《きき》として言う紺に、さすがに勘一も反論できません。まぁ目利きに関しては問題ないですから、しょうがないですね。


車は順調に進みまして、休憩を挟みながら午後になりました。そろそろ着く頃でしょうかね。紺の運転するバンは高速道路を降りまして、狭い田舎道《いなかみち》に入って行きました。道端で車を停《と》めて、紺が地図を確認しています。

そうなんです。紺の岐阜行きにわたしもちょいと同乗しました。この辺りはいいところだと聞きますからね。なにせねぇ、勘一と一緒に居た頃には毎日毎日古本と貧乏と格闘するばかりで、たまにどこかへ出掛けるにしても、セドリと呼びます古本の仕入れの

ねぇ。

かに行ってましたね。ほんの一泊二日の近場の旅行でしたけど、あれは楽しかったです

あぁそれでもあれですね。花陽や研人が産まれてからは家族旅行で、毎年一回はどこ

旅でしたからね。のんびりと静かな温泉旅行なんて、ついにできませんでしたねぇ。

「あぁ、あれだ」

紺が言いました。もちろん誰に言うともなしですけど。川沿いに和風の建物が見えま

す。どうやらあれが廃業するという〈水禰《みずね》旅館〉のようです。駐車場に車を停めると、

玄関からどなたか出てきましたね。

「お疲れさまです。堀田さんですね？」

「あぁ、どうも、水禰さん？」

八十代といったところでしょうか。客商売らしく、笑顔の似合う恰幅《かっぷく》の良い方ですね。

「まぁどうぞ。生憎《あいにく》ともう営業してませんので殺風景ですけどね」

案内されて旅館の玄関をくぐりますと、なるほどがらんとしていて人気《ひとけ》がまるであり

ません。水禰さん苦笑してすいませんねと頭を下げます。

「でも、今夜は私もそれから調理人もここに泊まりますので、温泉もまだ出してますし、

お食事とお風呂は楽しめますので」

「あぁいいえお気遣いなく」

純和風といった趣の旅館です。それほど大きくはないですね。その分こぢんまりとして、少人数で楽しむ分にはよさそうですけどねぇ。紺と水爾さん、部屋へ向かいながらそんな話をしています。

「まぁ時代の流れですよね。電話でも言いましたが跡継ぎも居ませんので、体力のあるうちにきちんとケリをつけようということで廃業しました」

「もったいない気もしますけど。売却した後は？」

「まだはっきりはしてないんですけど、おそらく大手の方が流れてくるとは思うんですけど。さ、こちらです」

和室の引き戸を開けますと、あらまぁ、これは大した量ですね。紺の顔が輝きました。

「なるほど、これはありますねぇ」

小さな宴会場でしょうかね。三十畳ほどの広さに本がずらりと積まれています。

「見易《みやす》いように、素人考えですけど分けてみたんですよ。その辺はわりと今の本で、あそこらへんにいかにも古そうな本と」

その通りですね。所謂《いわゆる》古本と古書に上手《うま》い具合に分けられています。これなら値付けもし易くて助かります。

「お泊まりになるお部屋はこの向かい側です。今、お茶と菓子でも持ってきますので」

「すいません、何から何まで」

水爾さんが出て行きますと、長旅の疲れも何のその。紺がさっそく家の値付け表を取り出して、端から手に取り出しました。こうなるともう誰かが声を掛けても気づきませんよ。

さて、それじゃあわたしはこの辺をぶらぶらしてきましょうかね。生憎と温泉には入れませんし、きれいな山の紅葉を堪能《たんのう》してから家に戻りましょう。ええ、場所さえ見当つけばすぐにでも帰れるんです。なかなか便利な身体《からだ》なんですよ。

＊

家に戻りますと、勘一が居間でお茶を飲んでいました。休憩ですかね。すずみさんと藍子と何やら話しています。

すずみさんもすっかり我が家に慣れました。カフェの方でも大活躍ですけど、やっぱり本人は古本屋の仕事をしたいらしく、そっちの方が多いですね。店の看板娘ができたと勘一はご機嫌です。

「でもやっぱり狭いでしょ？」

藍子が言います。部屋のことですね。すずみさん、いつまでも仏間じゃ可哀相だときちんと結納を交わし、晴れて婚約者として青の部屋に移っていたのです。けれども、いくら青はしょっちゅう留守にするとはいえ、八畳間に若い二人ではかわいそうと皆で考えていました。

「で、俺《おれ》んところを明け渡すからよ」

勘一が言います。すずみさんが慌ててとんでもない！　と手を振りますが、実はそういう話は決めていたのです。

「仏間をな、いつまでも空けとくのはもったいないってんでな。俺が使う予定だったのよ」

勘一が使っていた離れの書斎はきちんと本や本棚を片づければ、実は二間続きの十二畳ぐらいの広さはあります。

「少し離れてるから新婚さんにはもってこいだろ」

「あの、でも、そんなご面倒をおかけするわけには」

「いいんだいいんだ」

勘一はなにやら楽しそうに笑います。

「なんたってあの部屋を整理するのはあの部屋を使う人って決まってんだからよ。青と二人でじっくり片づけてくれや」

勘一がかっかっかと笑います。あの部屋に積んである本や本棚を片づけるのは、相当な手間ですからねぇ。

すずみさんがお父様と一緒に住んでいた家は、どうしても一人きりで住む気にはなれずに親戚《しんせき》の方にそのまま住んでもらうことになったそうです。

「あれは大丈夫なのかよ」

「あれ？」

「あれだよ、あれ、家とか土地の権利とかよ」

「大丈夫です。叔母《おば》がちゃんとやってくれてますし」

その叔母さん、井口聡子さんですが、先日にちゃあんと我が家に来て、姪《めい》っ子がどういう状況なのかを確認し、これなら安心と帰っていきました。青のことも気に入ったらしく、早く結婚して親戚になってねと言っているそうです。

そうそう、結婚式ですが、十二月にすることに決まりました。偶然なんですが、青もすずみさんも二人とも誕生日が十二月なのでちょうどいいのではないかと。もちろんお式は祐円さんの神社で神前結婚式です。楽しみですね。

「勘さん」

店に戻った勘一に声が掛かります。おや、お久しぶりの顔ですねぇ。

「おお勇造《ゆうぞう》」

思わずにっこりと勘一が笑います。

「生きてたか」

「おかげさんでなぁ」

本当にご無沙汰《ぶさた》でしたね。

もうかれこれ二年ぐらいになりますか。勇造さんは勘一の幼なじみで、三町ほど向こうのおそば屋さんの御主人でした。もう十年以上前に引退されて、お店も売りに出し、隣の町の老人ホームに入所されていたんですよ。

どうやら足腰もしっかりしていらっしゃいますし、まだまだお元気なようです。

「どうしたい。いきなり来やがって」

「いや、ホームの職員さんがこっちに用事があって車で行くって言うのを聞いてね。懐かしくて連れてきてもらったんだよ」

そうでしたか。

「ついでに頼みごともあったんだ」

「頼み？」

なんでも、ホームのロビーには貸し出しの本棚があるそうなのですが、正直ろくな本がないそうなのです。そういえば勇造さんは読書好きで、我が家のいいお客さんでもありましたね。

「生憎そう多くは払えないんだけどね。いい本を見つくろって用意してくれないかなと思って」

どうせなら、ホームにいる皆にもいい本を読んでほしい。貸本として、定期的に交換してくれるとなおありがたい。なんとか都合つけてくれないかと言うのです。

「なんだい、そんなことか。電話一本でいいものをよ」

勘一が胸をたたいて引き受けます。

「とりあえず二十や三十もあれば充分だろ？」

「そうだね。ロビーの本棚もそう大きくはないし」

「まかせとけ。すぐにでも車で持ってってやっからよ」

勇造さんが帰っていくと、さっそく勘一が本を選び出しました。人様に読んでもらう本を自分で選ぶというのは、本屋としてはいちばんの喜びですからね。

「こんなもんでどうだ」

すずみさんと青と勘一が店で本を積み上げて話していますね。どうやら勇造さんに頼まれた本を見つくろってみたようです。

夏目漱石《なつめそうせき》に森鷗外《もりおうがい》、芥川龍之介《あくたがわりゅうのすけ》といった明治・大正の文豪はまぁお約束みたいなものでしょうね。小林信彦さんに、筒井康隆さん、星新一さんですか。それに阿佐田哲也さん、五木寛之さん、宇野千代さんに、半村良さん、都筑道夫《つづきみちお》さん、海野十三《うんのじゅうざ》さんですか。なかなかにバラエティに富んでいます。

「時代物や、海外ものはどうすんの？」

「まぁ柴田錬三郎《しばたれんざぶろう》や池波正太郎は外せねぇよな」

「マクベインとかディック・フランシスあたりならいいんじゃないでしょうか」

「まぁ無難なとこか。あと二人でよ、年寄りも喜びそうな最近の連中とか、エッセイとかよ、軽いところ適当に見つくろってくれよ。渋いところは俺がもう少し揃えとくわ」

「リクエストとかできるようにしておけばいいんじゃないの？」

なんだかんだと話しながら、ご希望通り三十冊ほどを取りそろえて車で青が運んでいくことになりました。


カフェの方では藍子が絵の掛け替えをしています。あら、マードックさんの絵も飾るのですね。マードックさん、にこにこしながら手伝っています。

先日なのですが、マードックさんが花陽と研人を連れてディズニーランドに行ってきたんですよ。なんでも本国の方からお友だちがやってきて、行きたいというから一緒にどうだと声を掛けてくれたのです。

藍子とマードックさんの仲は相変わらず進展もしなければ後退もしないようです。藍子にしてみれば、愛した方が夏に亡くなったばかりでどうこうは早いのでしょうが、ひとつ区切りはついたようにも思うんですが、どうなんでしょうかねぇ。

花陽はこの間、青とすずみさんの結婚式と一緒にしちゃえばいいのに、などと研人と話していました。それもまぁどうかとは思いますけど。

どうやら掛け替えが終わったらしく、マードックさんはカウンターでコーヒーを飲んでいます。亜美さんと藍子は洗い物です。マードックさん、ちらっと店内を見渡して、それから本屋の方にも首を伸ばします。なんでしょうか、何か言いたげな様子ですね。

「あいこさん」

「はい」

「ちょっとおはなし、あるんです」

おや、何やら真剣な口ぶりですね。亜美さん、ちょっと眉《まゆ》を動かしました。

「私、買い物に行ってきましょうか」

「あぁ、いいですいいです。あのーあみさんにもきいてほしいです」

「あら」

ちょっと残念そうですね。

「あいこさん、イギリスにいきませんか？」

「イギリス？」

「マードックさんのところ？」

マードックさん、にこっと笑ってこくんと頷きました。

「じつは、このあいだきた、ぼくのともだち、むこうでギャラリーやってます。あいこさんのえをみて、とてもきにいったそうです。むこうで、こてんやってみないかというんです。ぼくのといっしょに」

「マードックさんと？」

イギリス人でありながら、日本画をよくするマードックさんと日本人だけど西洋画を描く藍子。この二人の個展をやってみたいと言うのだそうです。

「なかなか、おもしろいはなしだと、おもいました。ぼくとあいこさん、おなじだいざいでえをかくこともしてましたし、イギリスで、ににんてんというのも、いいのかなとおもうんです」

「それで、一緒にイギリスへ？」

「はい」

マードックさん、少しだけ恥ずかしそうに笑います。

「もちろん、あいこさんの、えだけでもいいんですけど、オープニングパーティとか、やっぱりほんにんがいないとはじまりませんし、それに、あの、いっしょにぼくのくににきてもらえると、とてもうれしいです」

顔もおでこも真っ赤になっています。これはもう実質上プロポーズと同じですよね。藍子は真剣な顔をして考え込み、亜美さんは少しだけ笑みを浮かべて二人の顔を見比べています。

「ねぇ、個展をいつやるかとかは？　もう決めているの？」

亜美さんが訊きました。

「もし、あいこさんがいやでも、ぼくはひとりでやろうとおもってます。まえから、やろうとはなしていたのです。さくひんもたまっていますから、いっかげつごにでも、できます」

「藍子さんの絵は？　もう個展をできるぐらいありますよね？」

藍子が頷きます。

「それは、あるわね」

言いながら藍子は考えています。

「むりにとはいいません。おへんじも、いまでなくていいです。ゆっくりかんがえてください。それに、あの」

マードックさん、真剣な顔で言います。

「ことわってもいいのです。でも、それで、えーといままでとかわってしまうとこまるので、なんていうのかな」

「これまで通りよね。個展のことは関係なく今まで通りってことね」

亜美さんが助けてあげました。マードックさん、そうですそうですと慌てて言います。

「もちろんですよ」

藍子が笑ったので、マードックさん、ようやくホッとした笑顔を見せました。さてさて、どうなるのでしょうね。結婚云々《うんぬん》は別にしても、外国で個展というのはいいお話なんじゃないですか。花陽も六年生。しばらくの間お母さんがいなくたって平気でしょう。なにせ我が家はそんなことを感じる間もないぐらい騒がしいですから。

＊

さて、そろそろ晩ご飯の支度をしなきゃなりませんね。紺の方はどうなってますか、ちょいと見てきましょうか。

広い宴会場の中で紺はじりじりと移動しながら本の値付けをしています。一冊一冊付けていっては相当の時間が掛かりますので、ざっと見ていいようなところはざっとで済ませます。もちろんその中にも掘り出し物があるかもしれませんが、その辺は長年の感覚ですね。見終えたところには本の山が築かれてますけど、こうしておけばこの山で大体いくらぐらいとあとで説明がしやすいですからね。

「堀田さん」

水禰さんが入ってきました。

「あぁ、ご苦労様です」

「晩ご飯は六時ぐらいでいいですか？」

「あ、すいません本当に」

「いえいえ、私も一緒に済ませますんで。お隣に用意しますから」


小さな膳《ぜん》が据えられて、紺と水禰さんが差し向かいでご飯を食べ始めました。なかなか豪華じゃありませんか。後で勘一たちに羨《うらや》ましがられますね。

「どんなもんですか？」

「そうですね、あと二、三時間もあれば終わります」

「どのぐらいになりますかねぇ」

紺が苦笑します。

「まだなんとも言えませんけど、いわゆる現代小説の類《たぐい》はそんなに高くは買い取れないんですよ。でも和綴《わと》じの古書がかなりたくさんありますからね。そちらの方でかなり値の張るものもある感じです」

「そうですか」

「あまり期待されても困りますから、全部合わせても何十万という単位でお考えください」

あぁもう充分ですよ、と水禰さんが笑います。そのあたりでしょうね。よほどのものがあれば別ですけど。

「私たちはフロントの裏に泊まりますんで、何かあったらいつでも言ってください」

二

さて、その翌日の昼ごろです。

「勇造が？」

「ええ、後から顔を出すと」

藍子が言いました。

「なにかな？　わざわざ電話してから来るなんてな」

お昼ご飯はもちろん交代で食べるようになっています。今は藍子と勘一と我南人と青が居間の座卓で食べています。亜美さんとすずみさんが店番ですか。

最近青が旅行代理店との契約を変えたらしく、家にいることが多いのですよ。どうやら本気で後を継ぐ気になっているようでもあるのです。もちろんまだ添乗員を辞めたわけではないのですが。

我南人はもちろん家のことなどやる気はさらさらありませんから、勘一亡き後に店を誰がやるか、という話になります。代々続く〈東京バンドワゴン〉を潰《つぶ》すわけにはいかないと皆が思っているようなのですが、長男である紺は、あんまり正面に立つ気持ちはないようなのですね。

「僕は裏方タイプだから」といつも言います。青が継いでくれたら自分はそれをフォローしたいんだけどなとも言ってましたから、青がそういう気持ちになってくれたことは嬉《うれ》しいようです。

「何か不都合があったのかな？　持っていった本に」

青が言います。勘一はうーんと考え込みますが、もちろん思い当たりませんよね。

「ごめんください」

あら、あの声は。

「どうも。お昼時でしたか」

茅野さんじゃないですか。渋いチェック柄のブレザーを着込んでアスコットタイで決めています。刑事さんなのにどうしてこんなにお洒落《しゃれ》なんでしょうかね。それはわたしの偏見でしょうか。

「なに。もう片づいたさ。今日は非番かい」

「おまけに女房は友達と旅行に行ってましてて」

「思う存分古本屋通いってかい」

二人で笑っています。まぁ茅野さんの奥さんもそういう息抜きでもなければ大変ですよね。刑事さんという職業に加えて古本狂いでは、ねぇ。

「犬の声がしますね」

茅野さんが言いました。そう言えば犬を飼っているという話を聞いたことありますね。四匹の猫と二匹の犬は何事もなくお互いを認め合ったようで、ホッと胸をなで下ろしましたが、困ったことがひとつ。玉三郎はメスなのですが、どうもサチとアキを自分の子供のように思ってしまったらしく、まだ小さいサチとアキを抱きかかえたりしていると尻尾《しっぽ》を立てて怒ったりするのです。まぁそのうちにサチとアキが大きくなれば、変わってくるでしょうけど。

今のところはまだケージを置いて、二匹の犬はしつけの最中。花陽と研人が一生懸命やっています。

「ごめんなさいよ」

おや、噂《うわさ》をすればで勇造さんもいらしたようです。背広姿の若い方も一緒です。

「今朝から？」

「行方不明？」

勇造さんとお若い方、ホームの職員さんで和泉《いずみ》さんとおっしゃる方が一緒に頷きます。

行方不明という単語を聞いて、本棚の方を物色していた茅野さんも思わず顔を覗《のぞ》かせました。

「あぁ、心配いらねぇよ。この人な、常連さんでしかも刑事さんなんだ。担当は違うと思うけどな」

刑事さんと聞いて、勇造さんそうでしたかと頷きます。

「しかし穏やかじゃねぇな。ちょいと居間の方に上がれよ」

勘一を中心に、青もすずみさんも揃《そろ》って話を伺います。帳場の方には青が座りました。ついでと言ってはなんですけど、茅野さんも上がってくれと勘一が言います。すいませんね、なんだかいつもいつも。

「松谷峰子《まつたにみねこ》さんという方なんですが、今朝早く外出届を出して行ったんですね。お子さんの家に行ってくると。ところがたまたまそのお子さんがついさっきホームの方に御面会にいらしたんです」

「ってことは」

勇造さんが頷きます。

「外出先が嘘《うそ》ってことになってね。さぁどこに行ったんだと騒ぎになったんだけど、何せどこに行ったのかも見当がつかない」

「あの、言いにくいですけど」

すずみさんです。

「徘徊《はいかい》とか、そういうのは？」

勇造さんと和泉さん、揃って手を顔の前で振りました。

「峰子さん、まだ七十前で身体も頭もしっかりしてらっしゃる方です。そんなことは考えられません」

なるほど、と勘一と頷きますが、さて、それはわかりましたがその話が何故《なぜ》我が家に？　という顔をしています。

「それでだね、勘さん」

「おう」

「ここに来たのはね、峰子さんが勘さんところの本を持っていってるからなんだ」

「本？」

「うちの？」

勇造さん、何やらメモを取り出しながら言います。

「貸し出し表を作ってね。誰がどの本を借りているかをわかるようにしてあるんだけど、峰子さん、昨日、さっそく本を一冊借りているんだ。それまで本なんかまるで読んだことなかった人なんだけど」

「ほう」

「それで、部屋の荷物を調べてみたんだけど、外出のときに持っていくバッグの他は全部荷物があったんだけど、その本がなかったんだよ」

なるほど、と皆は頷きます。

「たまたま、読みかけだったから持っていったとか」

青が言いますが、勇造さんは首を横に振りました。

「そうも思ったんだけど、文庫本ならともかく、単行本なんだよ。バッグは小さなものだし、わざわざ単行本を持っていくのかなと思ってね」

「で？　その本はなんだったんだい？」

勇造さん、メモを読みます。

「小坂紅葉《こさかこうよう》『アルファベットの径《こみち》』」

「へぇ」

勘一と茅野さんが唸《うな》りまして、他の皆はだいたい同じように首を捻《ひね》りましたね。さてわたしも知らない名です。

「誰？」

青が言いますが、すずみさんが、あの、と手を挙げます。

「駅のホームから身を投げて死んだという女流作家ですか？」

「おぉ、そうよそうよ。よく知ってんなすずみさん」

「名前だけなんですけど」

青が訊きます。

「有名なの？」

勘一が茅野さんに言うと頷きます。

「今となっては誰も知らねぇだろうなぁ」

「当時は芥川賞もと言われましたね」

「そうよ。その本は、まぁエッセイ集っていうかな。昔銀座にあった喫茶店の窓際の席で、一日中座って考えていたことをその場で書いた本でよ。そいつを書き上げて編集者に渡してそのまま自殺しちまったのよ」

「なんでまたそんな本を老人ホームに」

青があきれます。わたしもそう思います。勘一は頭を掻《か》きながら言いました。

「んなこと知ってる奴《やつ》はよほどの読み手か好き者しかいやしねぇよ。中身はなかなかいいものよ。その頃の流行《はや》りものとか、海外の話とかな、装丁といい中で喋《しゃべ》っている内容といい、懐かしい昭和の匂いってやつがいっぱいでよ。今流行りだしいいかなぁと思ったんだがね」

「何年ぐらいの本？」

「確か、昭和三十年ぐらいだったかな」

なるほど、と皆が頷いたところで勇造さんが言います。

「ひょっとしたらもうそろそろひょいと戻ってくるかもしれないし、あるいは夜までに戻らなかったら警察に捜索願を出そうと思うんだけど、その前に手掛かりはなんでも当たっておこうと思って、その本についても訊いておこうかなぁと」

そう言ってから茅野さんの方を見ました。茅野さん、大きく頷きます。

「なるほど」

と言われても、もちろん勘一には心当たりがあるはずもありません。

「あの」

和泉さんが身を乗り出しました。

「その本、銀座の喫茶店で書かれたと言いましたね？」

「ああ」

「峰子さん、昔ご実家が銀座の方でご商売なされていたはずなんですよ。かなり昔のことなんですがそう聞いたことがあります」

ほぉ、と勘一が言います。

「となると、何かそこに関係したものが書いてあったなんてことも考えられるか」

「もし、その本に何か原因があるとしたらですよね」

すずみさんが言います。

「そうだな。じいちゃん、その本はあるの？」

勘一は頭を横に振ります。

「ねぇよ。しかしまぁどっかの店には転がってるだろ。おい、青、ネットでちょいと調べてみろよ」

「あいよ」

御存知でしょうが、古本屋さんのネットワークはもちろんありまして、多くのご同業の方がインターネットで目録を検索できるようになっています。もちろん全てではありませんけどね。

青が店の方で検索をしているのを、皆があれこれ話しながら待ちました。

「あったよ」

店の方から青が呼びました。

「どこよ」

「いちばん近いのは神保町《じんぼうちょう》の〈雄山堂〉かな。へぇ四千円で出してるんだ」

けっこうなお値段ではありませんか。

「じいちゃん、よくそれをホームに貸し出したね」

青に言われて勘一は少しだけむっとした顔をします。

「馬鹿野郎、値段は関係ねぇよ。余生をのんびりと過ごしてる皆さんにはいいものを読んでほしいじゃねぇかよ。とにかく、青よ、バイクで行って譲ってもらってこいや。電話しとくからよ」

「わかった」

「気をつけてね」

すずみさんが玄関まで見送ります。

「あんた、和泉さんだっけ？　その峰子さんとかいう人のよ、実家のこととかその銀座辺りのことをよ、詳しく訊いといてくれや」

さてさて、何か慌ただしくなってきましたね。峰子さんとかいうご婦人、ひょっこり帰ってきてくれればそれでいいのですが、どこに行ったというのでしょうね。

＊

午後の二時を回りました。

神保町の〈雄山堂〉さんから本を譲ってもらってきて、すぐに中身の検討を始めました。座卓に向かって、勘一が本のページを開く横に勇造さんと青が並びまして、青はノートパソコンを持ってきて、書いてある内容の気になる部分をぱたぱたと打っていきます。

もし、その外出の原因が、何かこの本に書いてある事柄だったとしたら、この本に書いてある場所とかが重要になるのだろうという話になり、手分けするためにもそういうのを青が打ち込んでいるのですね。さすがブラインドタッチだかが得意というだけあって速いですね。まるで手品のように指先がキーボードの上を滑っていきます。

座卓の上には、和泉さんが訊いてきたという峰子さんのご実家のことが書いてあります。

あら、〈鴨居堂《かもいどう》〉のお嬢さんだったんですか？　大昔のことですけどね覚えてますよ。銀座に行った時に何度かお邪魔した覚えがあります。確か和装小物のお店でしたよね。そういえばいつの間にかお店もなくなったような。

「すずみさんよ」

「はい！」

「昭和三十年過ぎのよ、銀座の詳しい地図とか案内図とかよ、そういうのを探してみてくれよ。どっかにはあったような気がする」

「あ、ご主人それなら私得意ですよ」

茅野さんです。そういえば古地図の収集もされてましたね。すずみさんと一緒になって本棚をあさり始めました。

古本屋の面目躍如ですね。すぐに、当時の銀座の町の様子がわかるものが揃いました。皆がそれを見ながら座卓の周りに集まっています。

「ということはだ」

勘一が、青が打ち込んだものをプリントアウトした紙を見ながら言います。

「峰子さんと、この小坂紅葉は知り合いだった可能性もあるわけだな」

茅野さんが頷きます。

「そうなりますね。当時、小坂は二十二歳で、峰子さんは十五歳と」

小坂紅葉がその最後のエッセイ集を書いた喫茶店〈ブラジル〉は、叔父の経営するものだったのです。日がな一日入りびたっていることも多かったと、本にも資料にもありました。そして、当時の地図を見ますと、峰子さんのご実家だった〈鴨居堂〉と〈ブラジル〉は目と鼻の先だったのです。

さて、小坂紅葉さんが書いた『アルファベットの径』ですが、そのタイトルの通り、目次はAからZまで頭に振られています。Aは〈あたし、という女〉、Bは〈ブルジョワの楽しみ〉、Cは〈血と宝石と少女〉となってますから、英単語で追っているわけではないんですね。

そして自分以外の登場人物やら建物やら、いろんなものの名前が全て頭文字で書かれているのです。どうやら全て実在の人物のようで、例えば『S社の編集者であるK・Cさんは、いつも背筋を伸ばし黒のハイヒールの音も高らかに颯爽《さっそう》とGの街を歩く。Bのいつもの席で待っている私は、その姿を見るといつも……』と、いった具合です。Gというのはたぶん銀座のことなんでしょうね。Bはそこの〈ブラジル〉のことでしょう。

「さてよ。どう思うよ。茅野さんあんた専門家だ」

茅野さん、うーむと唸ってから言います。

「このエッセイ集に書いてあったことを読んで、峰子さんがどっかに行ってしまったと仮定しますね」

「おう」

勇造さんも和泉さんも頷きます。

「もし文中に峰子さんのことが書いてあるなら頭文字もあるはずですが、鴨居峰子さん、K・MもM・Kという頭文字もない。となるとMちゃんかKさんになりますが、Mちゃんという単語が入っているエッセイはこれだけだね」

青がそのページを開きます。

『C〈血と宝石と少女〉』

なんとも禍々《まがまが》しそうなタイトルなのですが、『ある休日に、木に登った』となんとも牧歌的に始まっています。女が木登りとは子供の頃の話なのかしらと思えば、そうでもありません。

どうも、このMちゃんの知人の男性がMちゃんの誕生日に素敵な宝石が嵌《は》められたブローチを贈ったようなのですね。それはその男性の家に代々残されていたもので、著者の紅葉さんの大のお気に入りだったようなんです。それをまだ子供といっていいMちゃんにあげたのが悔しくて、またMちゃんが将来は絶対美人さんになるような顔立ちの子供だったのが憎たらしいと、まぁそういうような気持ちが淡々と書かれています。

もちろんそのMちゃんと紅葉さんも知己だったらしいのですが、この紅葉さん、なかなか感情の起伏の激しい方だったらしいですね。Mちゃんと一緒に初詣《はつもうで》に行った時、人混みに揉《も》まれてMちゃんが付けていたそのブローチが落ちてしまった。それを見た紅葉さん、すばやく拾い上げ懐に入れようとしたのですが、すぐさま思い直し眼に付いた神社の大木に向かって放り投げたというのです。

「『どこかの枝に引っかかって、キラリと光るのを見て、私の心は千々《ちぢ》に乱れた』ってまぁ勝手だけど、この後、紅葉は反省してMちゃんに返そうと休日に木に登ってブローチを探したと」

「タイトルの〈血〉というのは？」

勘一が苦笑します。

「登ったのはいいんだけど、落ちて太ももに枝が刺さってしまって血だらけになったって書いてあるな」

「ブローチは？」

「その騒ぎで入院してしばらく足が動かなくなってしまって、いまだにブローチを見つけていないって。『ついさっきもMちゃんが通り過ぎていった。私に向かって手を振るその屈託のない笑顔に、明日こそまた木に登ろうと心に決めた』とありますね」

「ということは」

勘一がむぅと唸ります。

「このMちゃんってのがもし峰子さんのことなら、自分でもわかったろうな。このブローチは私のだって。そして、探しに行くと」

「でもさ」

青です。

「えーと、この本が出たのは昭和三十四年？　ってことはさ四十年も五十年も経っているじゃん。いくらなんでもないだろう」

「そういうのが女心ってやつじゃねぇのか？　なぁすずみさんよ」

すずみさん、こくんと頷きます。

「私なら、探しに行ってみますね」

わたしもそうですね。ないとはわかっていても行ってみたくなるもんですよ。ましてや神社であれば四十年五十年経っても多くはそのままの姿で残っているでしょうし。

「それならそれで、誰かに言って出掛けていけばいいものを、なんで嘘ついて出掛けたのかね」

勇造さんが言って、さーてと皆が腕組みしました。そればっかりはわかりませんね。

「まぁとにかくよ、この本からの手掛かりってのはそれだけだし、その初詣に行った神社ってのは？」

「それが」

茅野さんが頭を掻きます。

「神社は神社としか書いていませんね」

また皆がうーんと唸ります。

「神社を頭文字にしちゃうのはマズいって思ったのか、ひょっとしたらこの当時、銀座界隈《かいわい》で神社と言えばあそこっていうのがあったのかもしれないし」

「銀座界隈とは限んないだろう。初詣はどっか有名なところでよ。明治神宮とか神田明神とか浅草寺とか」

「浅草寺は寺だよ」

「あの」

すずみさんです。

「その峰子さんのお子さんに訊いてみれば？　初詣に行く神社って、案外ずーっと変わらないものだし、話とか聞いているかもしれないし」

皆が顔を見合わせました。

「そりゃそうだな」

慌てて和泉さんが電話を掛けに飛んでいきました。それと同時に、ただいま、という声がして紺が帰ってきました。案外早かったですね。

「おう、ご苦労さん」

勘一に声を掛けられて頷く紺ですが、様子が変ですね。溜息《ためいき》をついて、居間の方に上がってきてどさっと座り込みました。

「あぁ、茅野さん、勇造さんも」

周りを見回して、おかしな面子《メンツ》が揃ってると思ったのでしょうか。

「なんかあったの？」

「あったんだけどよ。どしたい？　疲れたのか？」

青とすずみさんもどうしたのかと見ています。紺は、何というか疲れ切ったような魂の抜けたような顔をしています。ううんと頷きながら言葉を濁します。

「何か話をしていたんなら、それを先に」

「いや」

勇造さんです。

「こっちは取りあえず待ちなんだけど」

「何かあったんなら言ってみろよ。下手《へた》でも打ったのか」

様子を見にきた亜美さんがお茶を淹《い》れて持ってきました。紺がこくんと頭を下げて、一口美味しそうに飲みます。

「誰もいなかったんだ」

「あ？」

紺が、顔を顰《しか》めます。

「確かに昨日、本を全部値付けしたはずなのに、今朝になるとその本が一冊もなくなっていて、しかも旅館の主人も消えていたんだ」

「なにぃ？」

三

和泉さんの方にはまだ電話が掛かってきませんのでどうすることもできません。まさか東京中の神社を回ってみるわけにもいきませんし。何はともあれ、紺の話を聞こうということになりました。

「まぁとにかく最初は順調だったんだ」

でしたよね。水禰さんという方も良さそうな人でしたし。

「いい話ですねぇ」

茅野さんも感心しています。

「だっておめぇ、そうやって旨《うま》い物食ってよ、温泉も入ったんだろう?」

紺が頷きます。

「何も問題なかったんだよ。温泉入って、その後夜中まで本に値付けして、終わったのが夜の十二時ぐらいだったかな? ちょうどいい時間だと思ってそのまま部屋に帰って眠って、起きたのが七時ぐらいだった」

ところがですね。

「その水瀰という人がいなくなっていたと」

茅野さんの眼光が鋭くなっています。

「そうなんですよ。顔を洗って着替えて、さて朝ご飯も出るんだろう、どこで食べるのかなとフロントの裏に行ってみると」

「誰も居なかった」

青です。頷いて紺が続けます。

「変だなと思いながら、本が置いてあった部屋に行ってみると」

「本が一冊残らずなくなっていたってか」

「妙な話ですねぇ」

茅野さんが唸ります。勇造さんも和泉さんもうーんと首を捻ります。

「何が変だって、本なんだよ」

　紺が言います。

「あれだけの量の本を運び出すのは大変だよ。夜中にやったとしても、すぐ脇《わき》の部屋で寝ている僕が気づかないなんて。完全防音のホテルじゃあるまいし」

　そうですね。確かに廊下側はただの障子ですし、その中にも障子があるだけで、割りと音はよく聞こえましたね。

「何より、運び出す意味がないですよね」

　茅野さんです。

「目的が全然見えないんですよ。仮にその水繭という人が仕組んだ茶番としても、いったい何が目的だったのか。紺さんの被害といえばガソリン代と貴重な時間ぐらいですか。それにしたって向こうは旨い料理と温泉を提供しているんだから、まぁとんとんですよねぇ」

　確かにそれはそうです。

「で、そのまま帰ってきたのか」

　紺が首を傾《かし》げます。

「あちこち探そうと思ったら、背広姿の男が入ってきて、『あんた誰？』って」

「誰よ」

「不動産屋」

「不動産屋？」

「そこを買い取ったって会社の人間でさ。夜中に電気が点《つ》いていたっていう話を聞いて様子を見に来たんだって。ここはもう一ヶ月も前に営業を停止してる。そんな水鬮なんていう人も知らないってさ」

「なんだそりゃあ？」

すずみさんが思わず身体を震わせます。怪談噺《かいだんばなし》にしては季節が違いますね。

「詐欺《さぎ》のひとつのパターンではありますけど」

茅野さんです。

「もし詐欺だとすると、その水鬮も不動産屋もぐるですね。けれども何度も言いますが、目的がねぇ」

じっと何かを考えていた勘一が、ふぅむと顔を上げました。何か思いついたような、そうでないような。

「何か思い当たったの？」

「いや」

歯切れが悪いですね。どうしたんでしょう。

「まさかなぁ」

勘一が手のひらで頭をがしがしと擦《こす》ります。

「おめぇ、値付けのときによ、うちの判子入りの書面使ったか？」

「使ったよ？」

使ってました。いつも通りですよね。勘一がむぅと唸ってから言いました。

「ひょっとしたら、ネドリされたのかもしれねぇな」

「ネドリ？」

まぁ、〈ネドリ〉なんて。そんな言葉すっかり忘れてましたよ。

「何それ？」

紺も青も首を捻ります。知らないのも無理はありませんね。今はそんなことやっても何にもなりませんから。

「大昔の話さ。そうよなぁ、通用したのはせいぜい戦前ってとこかな。茅野さんは知ってるかい」

「いや、私も聞いたことはありませんね」

勘一、少し考えてから頷きます。

「古本の値なんてもんはよ、結局のところどれだけ需要と供給があるかと、後はその本屋の眼力だわなぁ。古ければ古いほど高いってわけでもねぇ。素人さんにはどうやって値を付けていいかわかんねぇだろ」

「そうですね」

「たとえばだ。盗品なんてものの中に、古本がごっそりあったら泥棒さんはどうするね」

茅野さん、ううんと唸ります。

「まぁ、当然のように古本屋に売ろうとしますよね。しかし下手したら足がつく」

「だよな。だから自分で闇《やみ》で売りさばいた方がいいんだなこれが。もちろん大昔の明治や大正や昭和の初め頃の話よ。古本屋だって、ド田舎の古本屋より東京のど真ん中で商売やってる古本屋の方が箔《はく》がつくってぇ時代もあったのさ」

「そうか」

紺です。

「例えば、うちが値付けした値段が付いていれば、それが適正価格ってことだ」

勘一が頷きます。

「どこぞのド田舎の好事家《こうずか》によ、これこれこういう本がこの値段です、と。しかもそれは〈東京バンドワゴン〉てぇ東京の大店《おおだな》が、これこうして値付けをしたもんなんですよとな」

茅野さんがポンと手を打ちました。

「鑑定書代わりにもなるというわけですね？」

「そうよ」

「じゃあ」

「これは、そうやってネドリをするために仕組まれたって言うの？」

青です。

勘一はいやぁと首を捻ります。

「今の時代にそんなことやって何になるよ。うちの値付け表があったところでそんなもの何の役にも立ちやしねぇよ。そんなこたぁ日本全国の古本屋がわかってるし、どこぞの誰かに売るにしたたって、そこから足がついちまうよなぁ？」

「その通りですね」

頷いてから茅野さん、でも、と続けました。

「確かに、そういうことなら今回のはその〈ネドリ〉ですねぇ。何せ向こうが手に入れたのはまさに〈東京バンドワゴン〉さんの値付け表しかないわけですから」

「ただの紙切れにしかならねぇけどな。今となっちゃよ」

「なんでそんなことを、ですよね」

すずみさんが言って、また皆でうーんと考え込みます。

「いや、最大のミステリーは、その本が消えたってことじゃないの？」

青です。

「仮にだよ？　その〈ネドリ〉ってものをしようとしたとしてもさ。夜のうちに本を運び出さなきゃならない理由なんかないじゃん。紺ちゃんに朝ご飯食わしてお疲れさまでしたー、じゃあ検討して売る気になったら本は送りますからーでいいじゃん。真夜中にこっそり運び出すなんてしちめんどくさいことをさぁ」

紺です。

「そうなんだよ」

「そこがいちばん気になっているんだけど」

わかりませんねぇ。皆はもちろん刑事さんである茅野さんも腕組みして考え込んでいます。

気になっていると言えば、わたしもさっきからね、気になっているんですけど研人と花陽が帰ってこないんですよ。あぁ、藍子と亜美さんも時計を気にしていますね。

今日はもうとっくに帰ってきていい時間なのです。近頃はますます嫌な状況になっていまして学校の方でも集団下校や、ＰＴＡの方で帰り道に見張り番を立てたりしているのですよね。藍子も亜美さんもその役を仰せつかって、当番を決めて下校時には道に立ったりしているのですよ。今日はたまたま二人とも当番ではないのですが。

寄り道や道草はしないでまっすぐ帰る。それが決まり事なのですが、なんですか淋《さび》しい気もしますね。まだ紺や藍子の時代などは道草をするのが当たり前のようになっていましたし、それが普通だったのですが。ランドセルをそこらにほっぽり出して、道端で遊んでいる子供もたくさん居ましたよね。それができないというのは、まぁ時代の流れとは言え、どうしようもないのでしょうか。

藍子が居間の方に顔を出しました。

「あの、おじいちゃん」

「なんだ？」

「研人と花陽の帰りが遅いんですよ」

皆が時計を見ました。紺も気づいたようですね。

「そう言えばそうだな」

「ちょっと見てきたいんですけど、お店、どうしましょう？」

「じゃあ、カフェの方だけよ、すずみさんちょいと頼まぁ」

「あ、はい」

そうですね、と藍子が言いかけたところで、店先で人の気配がして大きな声が響きます。

「ただいまー！」

あら、研人です。花陽も一緒ですね。亜美さんと藍子がホッとした顔を見せながら店に行きましたが、あら？　という声が聞こえてきました。なんでしょう。

見ると研人と花陽の後ろに祐円さんも立っています。もうお一人、見知らぬご婦人も一緒ですね。何か祐円さんと一緒に頼みごとに来られたのでしょうか。

「あらっ？」

さらに亜美さんの声が響きました。

「どうしたの？　研人、その足」

研人の右足の脛《すね》に手当ての跡が。包帯が巻かれてネットが被《かぶ》せられています。

祐円さん、慌てて言いました。

「いや、見た目はあれだけど、ただの擦《す》り傷だ。派手に擦りむいたもんでこうしてもらったけどな。まぁ今夜風呂に入る頃には外してもいいもんだ」

亜美さん、そうですか、と頷きました。まぁ研人の様子もぴんぴんしてますし大丈夫なのでしょう。亜美さん、済まなさそうに祐円さんに言います。

「また境内で走ったりして転んだりしたんでしょう。すいません」

そうでしたね。ちょうど学校の帰り道にある祐円さんのところで、研人は境内を走り回って転んだりしてましたね。

「それなのですが」

上品そうなご婦人が、申し訳なさそうに亜美さんに言います。

「はい？」

「申し訳ありませんでした。お子様が怪我《けが》してしまったの、私のせいなのですよ」

「違うよ、研人が勝手にやったんだよ」

花陽がしょうがない奴だという顔をして言います。

「いや、儂《わし》もな、見ていたからな」

「いえ、本当に私のせいで」

と、三人が口々に言い合うところに、祐円さんとも知り合いである勇造さんが顔を出しました。勇造さん、祐円さんに笑って声を掛けようとして、その顔が驚きに変わりました。

「峰子さんじゃないか！」

「あらっ、勇造さん」

あら、まぁなんてことでしょ。

四

さて、もう店なんかやってられないと、休憩中の札を出してしまいました。居間には、我が家の全員が勢ぞろいして、そこに茅野さん、勇造さん、和泉さん、峰子さん、祐円さんです。

また間の悪いことにマードックさんがこんにちはーと裏木戸の方から顔を出したので

す。何やらキャンバスのようなものを持っていますから、藍子の何かを持ってきたのでしょうかね。全員が一斉にそちらを見ます。マードックさん、居間にずらりと並んだ顔を見て、不穏な空気を察したのでしょう。

「あ、また、あとで、きますね」

藍子が中腰になってすみません、と声を掛けましたが、なんと勘一が止めました。

「来たんなら座ってればいいじゃねぇか。生憎満席だけどよ。縁側なら空いてるだろ」

まぁ今日は秋にしては陽射しも強く、日向《ひなた》ぼっこにちょうどいいかもしれません。マードックさん、わけもわからずに縁側で座布団に正座しました。アキやサチが絡みついてくるので遊んでいます。


「さて、まぁそっちから片づけていこうや」

勘一の言葉に皆が頷きます。

「まずは、峰子さんだったかい」

あれやこれやと今までの経緯《いきさつ》をお話ししますと、峰子さん、驚くやら恐縮するやらでおろおろしていました。

「ご面倒をお掛けしました」

勘一がいやぁと声を掛けます。

「こっちこそ研人が世話になったようだけど、結局、この本に書いてあったのは祐円ところの神社だったたってわけだな」

その昔ですが、峰子さんも亡くなった紅葉さんのご家族も、初詣といえば祐円さんところの神社だったそうです。

「そうなんです。ずっとそうでしたね」

峰子さん、少し恥ずかしそうに喋ります。

「実は初めて小坂さんの本を読んだのですよ。その当時、作家さんであることは知ってはいたのですが、私はあんまり読書などはしないもので。先日ホームの本棚にそのお名前を見つけて本当に懐かしくて、手に取ったのですね」

「で、あのブローチのことが書いてあったわけだよな」

峰子さん、口に手を当てて頷きます。

「まったく忘れておりました。読んだ瞬間にあの日の記憶がまざまざと甦《よみがえ》ってまいりまして、本当に驚いたのですよ。そういうことだったのかと。なにせ何処《どこ》でなくしたものかもわからなかったもので」

もう何十年も昔のこと、亡くなられた紅葉さんに恨みとかそんなものは一切なく、ただただ可愛がってもらった思い出だけが残っているそうです。

「何て言いますか、本当にあの頃の紅葉さんはお洒落で颯爽としていましてね。あぁこんな女の人になりたいなぁと憧《あこが》れたものでした」

「なるほどね」

懐かしさやらなんやらで胸が一杯になり、朝になるともう矢も楯《たて》もたまらなくなり出かけたとおっしゃいます。

「まるで、娘の頃に戻ったようでした」

気持ちはわかりますよ。女はね、いくつになってもね、そういう気持ちは忘れないでいたいものですよね。

「で、祐円ところに出かけたと」

峰子さん、少し頬《ほお》が染まっていますね。頷きます。さて、そこで研人です。

「帰り道でさ、神主さんとおばあさんが本を見ながら境内で立ち話してんだよね。その本、表紙でうちにあった本だってわかったんだ」

さすが古本屋の曾孫《ひまご》ですね。

「なにしてんのって訊いたら、この本に書いてあるブローチが、あの木に今も引っ掛かっているかもしれないっていうから」

研人はそれを聞くや否や木に飛びついて登っていったんだそうです。

「やめなさいって言うのにきかないんだよこいつ」

花陽が怒って言います。祐円さんも峰子さんも慌てて止めましたが、登り始めてしまったものを無理に引きずり下ろせませんよね。

「だって、そのおばあさんの大事なものだって言うんだもん。取ってきてあげたいじゃん」

「で、研人は途中でずずずと落ちてきちゃったんだ」

紺が苦笑いします。そのときに足を擦りむいてしまったのですね。皆が少し笑っています。研人は気持ちの優しい子ですからね。

双眼鏡まで使って見てみましたが、結局、ブローチがあるかどうかはわかりませんでした。祐円さんも、そういう落とし物は記憶にないと言います。

「お怪我をさせてしまって申し訳ありませんでしたが、本当に嬉しくて、懐かしくて、楽しい一日でした」

縁もゆかりもなかった皆さんにご迷惑を掛けてしまったけど、そのお気持ちも本当にありがたいと。

「ありがとうございました」

峰子さんは頭を下げます。

「まぁこれはこれで良しだよな。で、わからないのはよ、なんで嘘なんかついていったのかね」

それがなきゃあ別に騒ぎにもならなかったのによ、と勘一が言います。

「別に責めるつもりはこれっぽっちもねぇよ」

峰子さん、はい、と頷き申し訳ありませんと言いながらまた頬を染めました。その様子に、青が、声を上げました。

「まさか」

「なんでぇまさかって」

「神主さん、お前」

失礼ですね、お前とは。あら、祐円さんも何かとぼけた顔をしています。その様子に勘一もパンと腿《もも》の辺りを叩きました。

「おいおい、祐円」

「ま、昔のことだ昔の。儂もな、もう何十年ぶりかで会ったんだよ。いや久しぶりにな、いい心持ちになったってことで、これで良しと」

峰子さん、ますます頬を染めて恥ずかしそうに笑みを浮かべます。

察するに、あれですか。大昔の恋物語か何かを誰かに知られるのが恥ずかしくて、つい外出先を何も考えずに子供のところ、としてしまったというところでしょうか。

秋の日はつるべ落とし、と言いますが、まだまだ夕陽は空を真っ赤に染め上げています。商店街も明かりが灯《とも》っていちばん活気づく頃合いで、お総菜屋さんや肉屋さん、八百屋さんに魚屋さん、あちらこちらからいい匂いや威勢のいい声がしています。

峰子さんは、祐円さんと勇造さんと和泉さんと一緒に帰っていきました。また日を改めて、今度はちゃんと店の方に遊びに来ますとおっしゃっていました。勘一は後で〈はる〉さんで祐円の野郎をしめてやると言ってましたね。

「失礼しまーす」

店先で峰子さんを見送って、中に入ろうとすると声が掛かりました。何か荷物が届いたようですね。見慣れた制服を着た若いお兄さんが店先に来ています。

「荷物ですか？」

青が応対します。

「あの百個口なんですけど、どこに置きましょう？」

「百？」

「えぇ」

見ると、台車の上に段ボールが重なっています。ここの通りに車は入ってこられませんからね、広いところに停めて、台車で運んでくるんでしょう。青が皆を振り返ります。

「じいちゃん、今日、何か大口の荷物が届くんだっけ？」

呼ばれて紺も勘一もやってきます。

「いや？　ねぇぞ？」

「書籍となってますけど」

「書籍？　誰からでぇ」

若いお兄さんが伝票を見ます。

「水爾さんとなってますけど」

「なにぃ？」

驚きました。庭の方に置いてもらった段ボール箱は全部で百。紺がそのひとつを開けてみます。中身は確かに古本でした。

「間違いないよ。値付けしたやつだ」

勘一も茅野さんも、皆が顔を見合わせます。

「どういうこった」

茅野さんがポンと手を打ちました。

「少なくとも、夜中のうちに本を運びだした理由はわかりましたね」

「そうか」

紺です。

「配達業者に朝一番で持ち込んで、今日のうちに届けるためだ」

「しかも紺さんが帰るのとそれほどタイムラグがないように……ひょっとしたら事件だなんだと騒がれないようにするためじゃないですかね」

　わかりません。どういうことなんでしょ。

「他の箱も開けてみましょう。どこかに手紙とか、そういうものがあるかもしれないですよ」

　茅野さんに言われて、皆で手分けして箱を開け始めました。研人も花陽も何故か楽しそうに段ボール箱を開けています。

「あった！」

　あら見つけたのは研人でした。何の変哲もない封筒ですね。すぐさま勘一に手渡します。表書きには〈堀田勘一様〉とあります。裏には〈水禰〉とありますね。勘一が慌てて封を切って、中から便箋《びんせん》を取り出します。皆が寄ってきて覗き込みました。

『前略ごめん下さい。何の罪滅ぼしにもならないとは重々承知。生き恥を晒《さら》して生き長らえてきましたが、生の終わりにせめてものお詫《わ》びをと思い、茶番を仕掛けさせていただきました。お孫さんの値付け、見事なものでした。当時の金額からは隔たりが多少あるかもしれませんが、現物にてお返しさせていただきます。姑息《こそく》な真似《まね》をとお笑い下さい。お身体ご自愛下さい。　不一　水禰』

中には紺が書いた値付け表も入っていました。勘一が眉を顰《ひそ》めます。

「こりゃあ」

「じいちゃん。今気がついたけど、この〈水爾〉って逆から読むと」

「ネズミ、かよ」

ネズミ、というと、あのネズミですか?

「前に言ってたよね、大昔にネズミっていうセドリ師に本を盗まれたって」

「あぁ」

「ひょっとして、これぐらいの金額なの?」

勘一が上を向きます。

「そうさな、まぁ今にしてみりゃあ、こんくらいか」

「じゃあ、今回の件は」

あのネズミが、今頃になって改心してこうやって返してきたということなんでしょうか。しかもこんな手の込んだことをして。

「ひょっとしたら、あの旅館は堅気になったその人が本当にやっていたものなのかな」

紺が言います。そうかもしれません。生の終わりにとありますね。ネズミも勘一と同じぐらいの年ですから、ひょっとしたら健康でも害しているのかもしれませんね。

「あの野郎」

勘一が庭を埋め尽くすような段ボール箱をぐるりと眺めます。

「つまらねぇ駄洒落だぜ。何が水爾だ」

首を二度三度振って、苦笑いしてます。これはもうそうやって笑うしかないですね。五十年も前のごたごたなんですからねぇ。

皆で段ボール箱を蔵に運び入れました。整理はおいおいやるとして、まぁご苦労様でしたと皆が居間に戻ってきます。

茅野さんが、ではそろそろと言うと、ついでだから晩飯でも食っていけやと勘一が勧めます。

「いや、それは」

「どうせかみさんいねぇんだろ？」

「いやしかし」

「なんだか、買い物に来ただけなのに、いろいろ迷惑掛けちまったしな。いろいろとよ」

あら、珍しい。勘一にしてはなんですか含みのある言い方ですね。茅野さん、ひょいと眉毛を上げましたよ。

「そうですか。ではお言葉に甘えて」

にこりと笑って腰を下ろします。

「あのー」

居間で所在なげにしていたマードックさんが勘一に声を掛けました。

「ぼくは、もういいでしょうかね」

「なんでぇ、まだ居たのか」

勘一が本気で驚いたように言います。なんてひどい言い草でしょうかね。ひっぱたいてやりたいところですけど。

「居たんならよ、ついでだからおめぇも晩飯でも食ってけ」

驚きです。紺も青も眼を丸くしました。何よりマードックさんが幽霊でも見たかのような顔をしています。

「あの、いいんですか？」

「良いも悪いも食ってけって俺が言ってるんじゃねぇか」

まぁまぁどういう風の吹き回しなんでしょ。ようやくマードックさんのことを認めたということでしょうかねぇ。

「何だか忙しい一日だったけどよ。まぁ嬉しいっちゃ嬉しいじゃねぇか、なんとなくな。晩酌でもするからよ。付き合え」

肩を叩かれたマードックさん、あらまぁ眼を潤ませてますね。紺や青もにやにやしていますよ。

＊

紺が仏間に居ますね。話ができるでしょうか。


「ばあちゃん」

「まぁ忙しい一日だったねぇ」

「そうだね。なんだってうちは大騒ぎする日が年に何回かあるんだろうね」

「そういう星回りなのかもしれないね」

「あ、思ったんだけどさ、ばあちゃんならあの峰子さんのブローチ、探せるんじゃないの？」

「あら、そうだね。屋根に昇れるぐらいだから、木の上なら行けるかもね」

「探してあげたら？」

「どうだろうねぇ、それも今さら野暮って気もしないでもないけど」

「そっか」

「まぁとりあえず見てくるだけ見てきましょうか」

「あるってわかっただけでも、峰子さんとか長生きするかもよ。それを取るまでは死ねないとかさ」

「そうだねぇ。やってみましょうかね……あのネズミもねぇ、あれかい、やっぱり茅野さんの手引きなのかね」

「え？　茅野さんの？」

「なんだい気づいてなかったのかい？　だってあんまりタイミング良過ぎるじゃないか。警察沙汰にもなりかねない騒ぎのときに現われて、おまけにあの人は泥棒さんの担当じゃないのかい」

「そうだった。え？　じゃあ、そのネズミと茅野さんが知り合いで」

「まぁそういうことも考えられるってことだね……あら、終わりかね」

はい、お疲れさまでしたね。紺が苦笑しておりんを鳴らして手を合わせます。

なんですかね、私が言うのも変ですけど、生きていればこそいろんなことも楽しめますね。

㊇ 愛こそすべて

一

南天の実が赤さを増す季節です。師走《しわす》の声を聞くと、どことなく気が急《せ》いてしまうのは、やっぱり日本人だからでしょうかね。

そういえばマードックさんも師走になるとどこか気分が変わると言ってましたから、同じ暦を持つお国ならばどこも同じですか。

昨日の夜にほんの少しだけ雪が降りまして、皆が目覚める頃には融《と》けてしまいましたが、椿《つばき》の花の上に乗った白い雪は、まるで一幅の絵のようでした。

藍子が庭に刺してある細竹に、ミカンを刺しています。花陽も真似《まね》していますね。こうしておくと、オナガやツグミやスズメといった可愛い鳥たちがついばみにやってきます。冬の楽しみのひとつなのですが、実は時々鼠《ねずみ》がやってくることもあります。見ている分には鼠も可愛い小動物なのですが、若い女性などはきゃあきゃあ言って騒ぎますね。本も齧《かじ》られますし、それが少々困りものです。

そんな十二月のある日です。

相変わらず、堀田家の朝は賑《にぎ》やかです。なんですが、どうにもひとつピリッと来るものがありません。そうなんですよ、上座に誰も座っていないんです。

勘一が風邪《かぜ》をこじらせてしまって、仏間に布団を敷いて臥《ふ》せっているのですよ。

「大じいちゃん、まだ駄目なの？」

「すきま風が寒いねぇ。もう少し隙間《すきま》テープとか何か貼《は》らなきゃ駄目かなぁ」

「熱はもう下がったんだけど、まだ咳《せき》がひどいのよ。咽《のど》も痛いって」

「病院行かせた方がいいよ、マジで。死んじまうよ」

「乾燥しないようにさせなきゃね」

「そんなことを口にしないでください」

「ショウガ湯、作った？　飲ませた？」

「研人も花陽もちゃんとうがいとかしろよ。学校でも流行《はや》っているんだろ？　風邪」

「お粥《かゆ》だけでも食べた方がいいんですけど」

「でも、行かないってきかないんだから。なんとかしてください、お父さん」

さすがに今日は勘一の話題ばかりです。藍子になんとかしてくださいと言われて、我南人がうーんと唸《うな》ります。

「筋金入りの病院嫌いだからねぇ。どうしようもないねぇ」

「でも、あの、失礼ですけどお年もお年ですし。このままだと体力ばかり失われて余計に」

すずみさんが心配しています。

「そうなのよねぇ」

亜美さんです。勘一も年が明ければ八十は目の前です。そうそう無理が利く年齢じゃあありません。わたしが居たなら無理にでも連れていくんですが、頑固な勘一のことですから、子供の言うことなど聞きゃしませんよ。

「馬鹿野郎、好き勝手言ってるんじゃねぇよ」

あら、どてらを着込んだ勘一がふらふらと仏間から出てきました。

「お祖父《じい》ちゃん、大丈夫ですか？」

「大丈夫じゃねぇよ。ねぇけど粥ぐらい食わないと身体《からだ》が持たねぇだろ」

辛《つら》そうに上座に腰を下ろします。

「寝ててください。今、そっちに運びますから」

「馬鹿野郎、はい、あーんってやれってか。そんなことした日には余計熱が出るぞ。いいから早く粥をくれよ。梅干しとな」

「大じいちゃん病院行った方がいいよ。点滴打って薬飲んだらすぐに治るよ」

研人が心配そうに言います。

「ありがとよ。でもな、人間の身体ってのは、自分で治す力を持ってんだよ。薬ってのはそいつを弱めちまうんだ。だからじいちゃんはな、自力で治すんだよ」

「にしたって限界ってものがあるじゃん」

青が納豆をぐるぐるかき混ぜながら言います。

「そんだけ年取ったら免疫力だって弱るよ。病院行った方がいいって」

「年寄り扱いするんじゃねぇよ。現に熱だって下がってるじゃねぇか。もうちょいだ」

皆がこれだけ心配しているのに本当に頑固ですねぇ、やっかいですよまったく。特に青とすずみさんは心配しています。なにせ、十日後には二人の結婚式なんですよ。

「風邪ならまだしもさぁ、ころっと逝かれた日には目もあてられないよ」

青のぞんざいな口のきき方も、結婚式にはちゃんと勘一に出てほしいと本当に心配しているからですよね。

「わかってらい。ちゃんと治すからまかしとけ」

青とすずみさんの結婚式の日程が決まったのは一月前。もちろん祐円さんの神社で神前結婚です。十二月二十日。もちろんとびきりの佳《よ》き日だそうです。この日に決まりましたのも、偶然ですが青の誕生日は十二月十一日、すずみさんの誕生日は同じく九日。二人合わせて二十日というわけです。さらにその日が佳き日だったものですから、祐円さんは張り切ってその日を決めてくれました。

まぁ既に引退している身ですので、式は息子さんの康円《こうえん》さんが執り行ってくれるのですがね。


勘一は起きて皆としゃべりながら粥を食べたのはいいんですが、また熱がぶりかえしてしまいました。仏間の襖《ふすま》は開けたまま、誰かが必ず見ていられるようにしていますし、すずみさんが家のことをやってくれて、勘一の看病もしてくれています。もちろんわたしが傍《そば》にいるんですが、わたしではどうにもならないですからね。まったくこういう時はこの身がもどかしいですよ。

古本屋の方は、青と紺が交代でやっています。もちろんカフェの方は亜美さんと藍子です。

あら、我南人がコーヒーを飲んでいるところに、ひょいと顔を出したのは、二丁目の〈昭爾屋〉さんのご主人、道下《みちした》さんですね。

「どうもっ、久しぶり」

「あぁ、みっちゃん、ホントに久しぶりぃ」

確かこの二人は小中と一緒でしたよね。学年は道下さんの方が下ですけど。

「どうだい、調子は」

「調子も何もねぇ、この年になると誰も同じだねぇ」

「にしても相変わらず若いねぇ、がなっちゃんは」

我南人のことを〈がなっちゃん〉と呼ぶのは学校のお友達だけです。

「〈昭爾屋〉さん、何か飲みます？」

藍子が訊《き》きました。

「あぁ、いや、悪いけどよ、今日は年末のあれ、頼みに来ただけなんだ。臼《うす》と杵《きね》。もちつき用にね」

我南人があぁ、と上を向きました。

「もうそんな季節なんだねぇ」

〈昭爾屋〉さんではお餅《もち》を毎年年末に臼と杵でつくんですよね。そのために確かクリスマス過ぎの二、三日は休んで家族総出でやるのですよ。ご近所の臼と杵も借りてきて盛大につきますから、その日は近所ではちょいとしたお祭り気分です。本当は商売物のお餅なんですけど、その場でついた餅を小豆《あずき》やら納豆やら黄な粉やら、いろんなものを用意して皆にご馳走《ちそう》します。花陽も研人も毎年楽しみにしてますね。

「オッケーだよぉ。後で蔵から出して、洗っておくからねぇ」

「すまねぇな。今年は二十七と二十八につくからよ。また頼むわ！」

「あいよぉ。オッケーねぇ」

じゃ、よろしく！　と笑って道下さんが出て行きました。あと何軒か臼と杵を持っているお宅を回るのでしょう。今じゃ持っているご家庭が少ないですからね。

「ねぇ、お父さん」

それを見送って、藍子が我南人の横に座りました。

「なにぃ？」

「押し迫ってきて、あれだけど。青ちゃんのことなんだけど」

「なんだい？」

「とぼけないでください。お母さんのことです。青ちゃんの」

そうなんです。結婚が決まった日からずっと青のいないところでその話題は出ていたんですが、なにせ肝心の我南人がふらりと帰ってきたのは昨日の夜だったんですよ。

「亡くなっているのならともかく、生きてらっしゃるのなら、式には出られないまでも何か」

我南人がむーん、と唸ります。

「でもぉ、青がそんなこと望んでいるのかなぁ」

「ということは、ご存命なんですね？　どこに居るか知ってるのね？　お父さん」

我南人はうーんうーんと唸るばっかりで肝心なことをさっぱり言いません。手を広げてくるくるとそれを回します。

「仮にだねぇ、藍子」

「はい」

「青のお母さんが生きているとしても、さっきも言ったけどねぇ、青がそれを望んでいないかもしれないだろぉ？　自分の腹を痛めた子供をねぇ、二十何年間も放っておいている母親だよぉ？」

確かに。けれども藍子はずいっと身体を寄せます。

「それでも、お父さんの愛した方なのよね？　愛人だとハッキリ認めて、青を引き取って育てて、そのお母さんなんですよね？　何か事情があるんじゃないの？　自分の子供を放っておいて平気な女の人と、お父さんがどうにかなるというのは、信じられない」

しっかりと我南人の顔を見つめて、藍子は言いました。まぁ確かに、ちゃらんぽらんでいい加減な息子ですが、こと人様との愛情云々《うんぬん》に関しては、誠実な男だと思いますが。

「それでもぉ、青のお母さんは、この二十何年間、顔も出さなかったのは事実だねぇ」

我南人が言いますが藍子も負けてません。

「だとしても、もし生きているなら、同じ母親として子供の晴れ姿を見たくない母親なんていないと思う」

正論です。またしても、我南人はうーんむーんと唸ります。

「まぁそうだねぇ」

長い腕を折り曲げて組みました。

「一度ねぇ、青と話してみなきゃならないとは思ったこともあるんだけどぉ、でもどうしようもないことだしねぇ」

「どうしようもないとは？」

「どうしようもないんだよぉ」

わけがわかりません。

「別にいいよ」

あら、青です。藍子がびっくりしています。いつの間にか青がカウンターの中に居たんですね。亜美さんがごめんなさいという顔をしています。

「俺《おれ》のお袋は、死んだお袋さんだけだよ」

怒っているわけじゃあないようです。青は静かに言います。

「親父の愛人さんという女性は、俺を産んだというだけの人だろ？　俺を育ててくれたのは、堀田秋実というたった一人の母親だよ。それで充分。藍ちゃんも別に気にしなくていいよ。気づかってくれるのはありがたいけどさ」

そう言って立ち去ろうとする青を、藍子が呼び止めました。

「でも、じゃあ、青ちゃん。もし産みのお母さんが生きていて、青ちゃんの結婚式に出たいと言ったら？　どうする？」

青がゆっくりと振り返りました。にこっと笑います。

「俺だってもうすぐ二十七だぜ。泣いて怒鳴って追い出すなんてガキみたいな真似はしないさ。もし、産みの親って奴《やつ》が生きていて、来たいって言う分には文句は言わない。まぁ顔も合わせない、話もしないかもしれないけどさ」

そう言って、家の中に入っていきました。我南人はまたしてもむーんと唸って腕を組んでいます。

「藍子ぉ」

「はい」

「ちょっと一緒に来てくれるかなぁ」

「何処《どこ》へですか？」

「来ればわかるねぇ。亜美さん、お店の方いいかなぁ」

亜美さん、とりあえず頷《うなず》きます。

「大丈夫ですよ。行ってらっしゃい」

さて、我南人がどこかに電話して、藍子が出かける準備をしているときに、康円さんが古本屋の方にやってきました。

「ごめんよ」

「あぁ、康円さん。いらっしゃい」

店番をしていた紺が応対します。丸顔の祐円さんと違って康円さんはお母さん似の細《ほそ》面《おもて》で、いかにも神主という雰囲気が漂います。もちろんこれはわたしの偏見ですが、丸顔の祐円さんはどちらかといえば住職さんという雰囲気なんですよ。

「親父、来てないかい」

「祐円さん？　今日は来てないけど」

そうか、と頷き、康円さん、家の中を覗《のぞ》き込みます。

「ときに、どうだい、親父さんの具合は」

「あんまり良くないですね。とにかく病院にも行かないし薬も飲まないの一点張りで」

康円さん、うんうんと頷きます。

「どれ、ちょっと見てくるかな」

紺がどうぞ、と奥を指しました。

仏間の方には石油ストーブも焚《た》かれて、その上にやかんを置いています。さらにバスタオルが湿されてハンガーに掛かっていますね。部屋の中を乾燥させないようにでしょう。康円さんが近づくと、勘一は眼を開けました。

「おぉ、康円か」

「どうですか、親父さん」

小さい頃から家に出入りしている康円さん。勘一のことを親父さんと呼びます。

「どうもこうもねぇ、ご覧の通りだ」

「私が言っても駄目でしょうけどね。やっぱり病院へ行った方が良いですよ」

「うるせぇよ。じきに治るって」

康円さん、溜息《ためいき》をつきます。

「あれですね。なんでしたら日取りを変えましょうか？」

「日取り？」

「青ちゃんの結婚式ですよ」

勘一、頭を少し上げました。

「なんでだよ」

「だって、この様子じゃ無理でしょう。あと十日ですよ。いくら暖房が入っているとは言っても、神社は寒いですよ。体力が回復しないとまたぶりかえしてしまいますよ。はっきり言ってもう若くないんだから、無理したら結婚式の次は葬式ですよ。だったら式を延期して気の済むまで養生してからでも」

なるほど。さすが現役の神主ですね。上手《うま》いことを言います。そういうふうに言えば意地でも勘一は風邪を早々に治さなければなりませんからね。

「馬鹿野郎ぉ、せっかくの目出度《めでた》いことを延期する馬鹿が居るかよ。まだ十日もあらぁ。明日治って明後日《あさって》で体力回復してみろ、まだ一週間も残ってら」

勘一は話はもうこれで終わりだと布団を被《かぶ》ってしまいました。これ以上怒らせてはまた身体に障ると思ったのでしょう。康円さん、お大事にね、と一声掛けて退散します。申し訳ありませんね。本当に困った亭主です。

おや、康円さんと入れ替わりに店に入ってきたのは、藤島さんですね。今日も流行りのスーツを着込んでピシッと決めています。

「こんちはー」

紺が店に居るのを見て、藤島さんが言います。

「ご主人は？」

「それがですね」

紺が風邪をひいて寝込んでいると説明すると、藤島さん本当に心配そうな顔をします。

「大丈夫でしょうか」

「まぁなんとか。なので、レポートは預かっておきますから、どうぞお好きな本を」

「いや、そういうわけにはいきません。ちゃんとご主人の許可を取らないと」

藤島さん、見た目は優男《やさおとこ》なのですが、なかなかこれで芯《しん》が通っています。

「お見舞いとかしたら、怒られますかね」

紺が苦笑します。

「口では男に見舞われたって嬉《うれ》しくねぇって言いますけどね。喜びますよ」

「じゃあ、また後で来ますので」

藤島さんのことですから、きっと豪華な果物のセットでも抱えてやってくるのでしょうね。そうしてまた勘一に怒られるのですよ。こんなもの買う金があったらどこぞへ寄付でもしろってね。

さて、藍子と我南人が揃《そろ》って出かけていきます。我南人は藍子を連れて何処へ行くというのでしょうか。話の流れから察すると、青のお母さんに関することだと思うのです。気になりますね。ちょいとついていってみましょうか。

「何処へ行くんですか？」

我南人、来ればわかるねぇと言うだけで目的地が何処か言いません。さてわたしの知っている場所だといいのですが。

山手線の駅まで歩いていって電車に乗って行きます。この電車というのが今のわたしにとってはくせものでして、空《す》いているときならまだしも混んでいるときに乗るとわたしは悲惨な目にあいます。何せ人様とぶつかると押し出されてしまうものですから、一両目に乗ったと思うとあっちへ押されこっちへ押されでいつの間にか最後尾に居たこともあります。皆さんわたしの姿は見えないですからね。

おや、原宿ですか。藍子と我南人の後をついて電車を降ります。

どこの方も一度は眼にしたことがあると思います、銀杏並木《いちょうなみき》がきれいですね。さすがに少し葉は落ちていますが、まだまだ黄色の葉っぱが眼を楽しませてくれます。我南人はそこをふらふらと歩いていますが、何処へ向かうのでしょう。

「久しぶりね」

「何がぁ？」

「お父さんとこうやって歩くの」

我南人がにやっと笑います。

「そういえばそうだねぇ」

藍子は、このろくでもない父親を好いていましたね。小さい頃はいつも我南人にくっついて歩いていました。

背の高い二人ですから、こうして銀杏並木を並んで歩くと目立ちます。それなりに見映えのするスタイルですからまるで映画のロケか何かのようですね。道行く人の中にも我南人を見て振り返る人が居ます。知っているのでしょうか、何処かで見た顔だなと思ったのでしょう。

あら、映画のロケのようと言ってましたら、本当に向こうでロケをやっていますね。映画かテレビかはわかりませんが、ひとだかりがしてカメラも回っているようです。

「何かやってるね」

「そうだねぇ」

係の人に止められる前に二人は立ち止まりました。わたしはどうせ邪魔にならない身の上ですからもうちょいと進んでみました。女優さんと俳優さんがお二人で並んで歩いています。あらあら、これはまた大物ですね。男性の方はまだ若い方で、顔は見知っていますが名前はわかりません。若い方に人気のある方ですね。

女優さんの方は、もう日本中誰もが知る方ですね。まだ日本に銀幕という言葉があった時代から映画で活躍なされて、清楚《せいそ》な美人女優として人気を博し、たくさんの熱狂的なファンの方がいらっしゃいます。もうかれこれ六十を過ぎたかと思いましたが、相変わらずお綺麗ですね。

藍子が思わずにっこりしました。

「初めて見た。綺麗ねぇやっぱり」

「そうだねぇ」

我南人も見入っています。

「お父さんも好きだったんじゃない？　よく映画を観ていたよね」

「そうだねぇ」

頷きます。その表情に、藍子が何かを感じたようです。

「え？」

慌てて、女優さんの方を見ます。どうやら撮影は終わったようですね。バラバラと皆さんが動き出しました。女優さんもホッとした笑顔で脇《わき》の方へよけていきました。

「お父さん」

「なんだい」

「ひょっとして、これを、このロケを見に来たの？」

「そうなんだねぇ」

「まさか、青のお母さんって」

我南人が、何ともいえない複雑な顔をします。

「そうなんだねぇ」

藍子がひっくり返りそうな程驚いて、思わず後ずさりしました。わたしもびっくりです。心臓が止まるかと思いました。いえもう止まる心臓もないのですが。

「あの人が、青のお母さんなんだねぇ」

日本を代表する女優さんで、清楚で慎ましやかでお淑《しと》やかで、誰が見ても一点の非の打ち所もないあの方が。

池沢百合枝《いけざわゆりえ》さんが、青の母親なんですか？

藍子が混乱しています。無理もありません。わたしもそうです。今までこんなに驚いたことはありませんね。

近くのカフェに入りまして、藍子は気を落ち着かせようとホットココアを飲んでいます。我南人はまたコーヒーですね。

注文を持ってきたウェイターさんが、おずおずと我南人に声を掛けます。

「あの、我南人さんですよね」

「そうですよぉ」

「サイン貰《もら》ってもいいですか？」

「いいですよぉ」

ウェイターさんが持ってきたメモ帳に、我南人がさらさらとサインをします。それを見ていた藍子が、ふぅと溜息をつきます。

「そうよね。お父さんだって一応芸能人だものね」

一応ですね。

「同じ芸能人とそういうことになっても、不思議はないのよね」

それはまぁ確かにそうなのですが、それにしてもです。浮いた噂《うわさ》などひとつもなく、もう何十年も前にご結婚なされて、もちろんそれからも破局だの浮気だのといった話もこれっぽっちもない、池沢百合枝さんです。どこでどう我南人と繋《つな》がるというのでしょう。ましてや、自分の産んだ子供を放っておく母親だなんて、考えられません。

我南人がチラッと周りを見ました。テラス席のここには、そばに暖房機があるだけで、人は居ません。一応気を使っているのでしょうね。

「詳しくは話さないけどねぇ。事実だよ。嘘《うそ》を言ってもしょうがないしねぇ」

こんな嘘をついては名誉棄損で訴えられます。

「あの人はねぇ、すごい人だよ。まぁイメージからお淑やかで慎ましやかな人と思われているけど、根っからの女優だねぇ。自分で自分の人生を演じている人だよ。我々には想像もつかないねぇ」

藍子は少し考えています。

「僕はねぇ、演じる、ということをねぇ。今の人は軽く考えているんじゃないかなぁと思うんだよぉ。たかが役者。たかがドラマ。でもねぇ、別の人間を演じることで観る人に感動を与えてしまうというのは、実はものすごいことなんだよぉ」

「お父さんだって、音楽で人に感動を与えているじゃない」

我南人は苦笑します。

「音楽は内なるものだよぉ。湧《わ》きあがってくる LOVE を謳《うた》えばそれでオッケーだね。

でも演じることは違う。別の人間に成りきって、しかもあの人は大昔に作られた自分のイメージを、そのまま自分の人生にまであてはめて生きてきた人だねぇ」

「そうなの？」

「その中で、僕とのことは、あの人にとってはたったひとつの、別の自分なんだねぇ。あの人は何を演じてもあの人自身だけど、僕とのことだけは同じ池沢百合枝でも、別の自分だったんだよぉ。それが本当のあの人なのか、それさえも自分の芸の肥やしにするためのひとつだったのか、それはわからないけどねぇ」

藍子がまた考えます。同じ女としていろいろ思っているのでしょう。

「あの人、言ったんだよ。青が産まれたときにね。『私はこの子の母親にはなれない。それでは私は生きていけない』とねぇ」

「そんな」

「でもねぇ」

我南人が、藍子に顔を寄せて言います。

「あの人、決して青のことを忘れ去って、生きているんじゃないねぇ。その証拠に僕は毎年一枚、青の写真をあの人に送っているんだよぉ」

「写真を」

「あの人が、それを望んだんだねぇ。『母親としては生きられないけど、忘れてはいけないもの』。そうも言ってたねぇ」

そうだったのですか。

それにしても、今の今まで隠し通した我南人も、そんな気配を微塵《みじん》も感じさせない池沢百合枝さんも、事の是非はともあれ見事としか言い様がありませんね。

それはある種の覚悟でしょう。これだけの覚悟を決めて今まで生きてきたのは、ある意味では立派です。もちろん、青の立場になってみれば、ただの親の我儘《わがまま》でしかないのでしょうけどねぇ。

二

「浮気？」

夜になりました。相変わらず勘一の方は良くなりませんが、悪くもなってません。熱は上がったり下がったりで、本気で皆は心配しています。無理やり病院に運び込もうという話も出ましたが、暴れてしまうとまた具合が悪くなるのではないかと躊躇《ちゅうちょ》していたのです。

そこに、康円さんの奥さん、葉子《ようこ》さんがやってきたのです。勘一のお見舞いがてらだったのですが、相談があるとかで。

「あの康円さんが？」

紺が驚きます。

「まさか」

藍子も頷きます。何せ康円さんは親の祐円さんに似ず、真面目で堅物な方ですから。

「私もそう思っていたんですけど、どうにも最近変なのですよ。こそこそと電話をしたり、どこへ行くとも言わないで出かけたり。今までそんなことなかったんですけどね」

まぁそれだけではどうにもなりませんけど、先日お友だちの方が目撃したそうです。ご婦人と一緒にいる康円さんを。

「しかもそのときは、地鎮祭に行くと言って出ていったんです。その時間に女と会っていたんですよ？」

「なるほど」

それはまぁ、確かに嘘をついていたっていう証拠ですねぇ。浮気していたかどうかはわかりませんが。葉子さん、こんなときに何だけど、知ってしまった以上はどうしようもない。なんとか調べてもらえないものかと涙ながらに訴えました。

「康円さんがねぇ」

「何かの間違いよきっと」

葉子さんが帰ってから、紺と藍子が言いますが、我南人は首を横に振ります。

「わからないよぉ。ああいう男が年取ってから思い詰めると怖いからねぇ」

花陽と研人は二階でもう眠っています。仏間では勘一が寝息を立てています。すずみさんが心配そうに覗き込んで襖を閉めました。

「まぁよく寝てるんならとりあえずは」

紺が言います。そうですね。静かに眠っていられるならまだ大丈夫でしょう。それにしても本当に結婚式までに治るか心配ですね。

「ところでさ」

青が、すずみさんが作った白玉あずきを食べながら言います。もうすぐ冬至になりますが、我が家では小豆かぼちゃを食べるんですよ。残念ながら小豆を煮てぼたもちですとかお汁粉を作ったことがないというすずみさんに、藍子と亜美さんが教えてあげていたのです。試作品を皆で食べていたのですね。

「藍ちゃんは、どうなの」

「私？」

「イギリスに行くの？」

「あぁ」

そうですね。マードックさんに二人展をイギリスでやろうと誘われたものの、返事はずっとお待たせしているんです。もっとも期限があるわけじゃなく、準備ができ次第でいいというお話らしいので、マードックさんも焦ってはいないようですが、だいぶ経ちますねぇ。

「行ってやってみたいという気持ちはあるんだけど」

「さっさと行ってくればいいじゃん。誰が反対しているわけじゃなし」

青がけしかけるように言います。十近くも年が離れた青にとって、藍子は大事な優しいお姉さんであり、相談相手でもありました。幸せになってほしいという気持ちは人一倍あると思いますよ。ましてや自分が結婚を決めてしまったので、藍子にも早くというのもあるのでしょう。

「まぁ青ちゃんが落ち着いてからゆっくり考えるわ」

藍子が小さく笑いながら言います。青は不満そうです。

「藍ちゃんはいつもそうじゃん。自分のことは後回しにしてさぁ。家のことなんかさ、亜美さんだって居るし、もうすずみだって居るんだからさぁ。自分のことを第一にさっさと考えなよ」

そうですねぇ。わたしが居る頃はもちろん、いなくなってからはますます藍子はこの家の主婦代わりでしたからね。本人が好きでやっていることとは言え、自分を犠牲にすることも多かったでしょう。

「まぁそれは姉さんの決めることだからさ」

紺が、その話題を締めました。我南人はただ黙って自分の子供たちの話を聞いていました。いえ、こういうときの我南人は聞いているのかいないのかよくわかりません。今も、白玉あずきを食べた後は、丸くなって隅で寝ている玉三郎とアキとサチを眺めていましたからね。

「親父」

少しいらついたように青が声を掛けましたよ。

「なにぃ？」

「親父から、藍ちゃんに言うことはないの？」

そう言われて、我南人はにやっと笑って皆の顔を見回します。

「LOVE を感じるままに進んでいけばいいんだよぉ。それなら絶対に後悔しないねぇ」

それだけですか。頼りになるんだかならないんだかわからない父親です。

＊

翌日です。藍子の知人のお宅から依頼がありまして、藍子がお宅にお邪魔することになりました。

なんでもどこかの会社の社長さんなのですが、そこのお嬢さん、近々ご結婚の御予定があるとか。随分と読書家のお嬢さんのようで、一室を本棚が占拠しているそうです。まさか全部抱えて持っていくわけにもいかず、処分を考えている。いろいろとあるのでちょっと見てほしいというのですね。

本来は紺か勘一が行くところですが、お嬢さんというなら女性の方がいいだろうということで、藍子が行く事になりました。これでも古本屋の娘ですので、大抵のものなら目利きはできます。どれどれとわたしもついていくことにしました。

「まぁ」

本当に、まぁ、ですね。わたしも思わず感嘆しました。

お邪魔したお宅はなるほど、何の会社の社長さんかはわかりませんが、高級住宅街の一角にある立派な建物で、その中の一室が書庫になっていました。広さは二十畳ほどもあるでしょうか。本格的な本棚がずらりと並んで、そこらの図書館より立派なほどです。

「これ全部、お嬢さんの本ですか？」

「お嬢さんはやめてください」

上本《うえもと》希美子《きみこ》さんとおっしゃるお嬢さん、上品に恥ずかしげに微笑《ほほえ》みます。

「希美子でけっこうです」

「では、希美子さん、これ全部あなたの本ですか？」

「いえ」

希美子さんが首を横に振りました。

「祖父が若い頃から道楽で集めたものも多いんですよ。私のはほんの少しなんですけど」

藍子があちこちを眺めて感嘆しています。もちろん最近の本が半分以上を占めていますが、古書もかなりの数がコレクションされています。個人でこれだけのものは初めて見ますよ。

あら、この田山花袋《たやまかたい》の『楽園』初版本など、十何万は値がつくでしょうね。

「では、これ全部お売りになるんですか？」

希美子さん、少しだけ恥ずかしそうに頷きます。

「そのつもりなんですよ」


「それは、すごいね」

家に帰ってきた藍子に話を聞いた紺が言います。勘一も少し調子がいいらしく、布団の中で話を聞いていました。

「そりゃあ、仕事のしがいがあるってもんだな」

嬉しそうに言います。さっさと風邪を治して復帰したいでしょうね。

「でもね」

藍子です。

「ちょっと気になるんだけど」

「なんでぇ」

「結婚が近いので、自分の本をこれを機に整理しようっていうのはわかるのよ」

「そうだな」

「でも、あれだけの本好きの人が、蔵書を全部手放そうって気になるのはどうしてかなぁと思って」

そう言われて、紺も勘一も考えます。確かにそれはそうですね。

「絶対手元に置いておきたい本の一冊や二冊は必ずあるはずよ。それに、お嬢さんの蔵書だけならまだしも、お祖父さんの遺品ともいうべき本まで全部売るなんて、変だと思わない？」

「確かにそりゃあそうだなぁ」

「言われてみればね」

三人でうーんと考え込みました。

「まぁ人様の事情に首を突っ込むのもなんだが、こないだの件もあるしなぁ」

「そうだね」

「ちょいと、調べてみるか」

勘一の言葉に紺が頷きました。

そんな話をしているところに、おや噂の康円さんです。実は青が今、康円さんの浮気相手というのを調べているのですよね。ですからきっとその辺に青はいるはずです。

「どうですか？　風邪の方は」

居間の方に上がってきて、康円さん勘一に言います。

「まぁ熱は下がったな」

「そうですか。それは良かった……ところで親父さん、青くんとすずみさんは？」

思わずどきりとしますね。

「いや、今は出かけているが、どしたい。あの二人になんか用かい」

康円さん、少し顔を顰《しか》めましたね。

「いやいないならちょうどいいや。あぁ、藍子さんも紺くんも見てもらえるかな」

「何でしょう」

「実は、こういうものを見つけてしまったんだよ」

手に封筒を持っていた康円さん、中から函《はこ》入りの古本を取り出しました。これはまた古そうなものですね。

「へぇ、夏目漱石かよ」

『それから』ですね。かなり古いものですがどうなんでしょう。

「おいおい、春陽堂の初版じゃねぇか？」

「よくこんなものがあったね」

明治の頃に出されたものですね。かなりの値打ち物ではないでしょうか。

「いや、先日物置の掃除をしていてね。そこから出てきたんだ。どうやら先々代の持ち物らしいんだけど」

勘一、寝ていられなくて起き出して、本をそっと開きます。

「うーん、ちょいと状態が悪すぎるなぁ」

「高値がつくのかい？」

康円さんの問いに紺が頷きます。

「状態さえ良ければ、そうだなぁ二十万はつけてもいいんじゃない？」

「そんなに？」

「いやぁ三十万はつけられるだろ。けど、こいつはそんなにつけられねぇなぁ。せいぜいが五万ってところか」

それでも大したものです。しかし、この古本がなんなのでしょうか。

「ところがね、もう少し先を開いてもらうとわかるんだけど、書き込みがしてあるんだ」

「書き込み？」

勘一がぱらぱらと本を開いていきます。あら本当ですね。何やらところどころに筆で書いてあります。

「なんだこりゃあ……〈早寝早起き〉？　〈手洗励行〉？　おいおいこりゃあ親父の字じゃないか」

「ひいじいちゃんの？」

あらまぁ先代のですか。そう言われてみればそうですね。確かに義父の字です。

「そうだろうと思ったんだ。読んでいくとあちこちにそういうのが書いてあって、だからこれは家訓を考えながら書き込んだものじゃないかと思ってね」

「なるほどねぇ。いやこりゃあ古本としては売り物にならなくなっちまってるけど、我が家にとっては貴重なもんだわなぁ」

勘一が喜んでいます。まさかこんなものが出てくるとは。

「ところがね、喜んでもいられないんですよ」

「なんでよ」

「ここを読んでください」

康円さん、ぱらぱらとページをめくります。

「なになに……〈冬に結婚するべからず〉……なんだとぉ？」

まぁ。それも家訓なのですか。初めて聞きましたね。

「そんなこと書いてあるんですか？」

勘一が頷きます。

「要するに、冬は寒々しいから堀田家の人間は結婚式はするな。するなら春がいいって書いてあるな」

藍子も紺も勘一も、康円さんと顔を見合わせました。家訓をできるだけ守るのが我が家の伝統ですが、さてさて、これは困ったものですね。冬に結婚するなということは、青とすずみさんの結婚式を延期しなければなりませんね。

まぁ既に一緒に住んでいますし、式も神前で身内のみですから連絡も簡単ですね。延期になったところで大勢に影響はないとは思いますが。どうでしょうか。

うーんと皆で唸ってしまいました。

三

またなんだかややこしくなってきましたね。康円さんの浮気に、お嬢さんの蔵書整理に、結婚式の延期ですか。なんですか全てが男女の仲に繋がっているみたいですね。勘一もおちおち寝てもいられなくなったのか、どてらを着込んで起きてきました。

それでも、こんがらがってきてアドレナリンでも出てきたのでしょうか。大分具合も良くなってきたようです。ご飯も食べられそうだというので、何が食べたいかとすずみさんが訊くと、鍋《なべ》がいいと言いました。

「鍋ですか？」

「おう。我が家の鍋はな全年齢対応型なんだ」

「はい？」

すずみさんをからかうものではありません。親子四代が暮らしている我が家ですから、当然それぞれの好みも変わってくるわけです。鍋になるとやれ何味がいいだとか、中身はどうだとかそれぞれの言い分を聞いていると、これが際限がないんですね。そこで我が家の鍋は伝統的に水炊きと決まってます。昆布のダシだけでいろんなものを放り込んで、あとは、それぞれの取り皿に好みのたれを入れて食べるのです。

「で、どうなったよ。そっちの方は」

勘一が取り皿のネギ卵味噌《みそ》に豆腐を絡めて食べながら言います。

「それがね、どうもあそこの会社が危ないみたいだね」

「危ない？」

上本希美子さんのところのお話ですね。紺がポン酢におろしを入れたタレに白菜をつけて続けます。

「蔵書整理と言っているけど、どうも家自体が人手に渡るみたいだね」

「へぇ、倒産かなんかか？」

「いや吸収合併かな」

「企業買収かなぁ？」

紺が白菜を食べて続けます。

「そんなところだね。業績悪化を受けて、その希美子さんのお父さんの会社を買収しようっていう会社が現われたと。お父さんの会社はね、金属加工関係の会社でさ。そんなに大きくはないんだ。せいぜい社員五十名ぐらいのところだけど、かなり優秀な技術力はあるみたいなんだ」

「そこを見込んでの買収ってわけだねぇ」

紺が頷きます。けれども少し顔を顰めて続けました。

「ところがね、なんだか嫌らしい話もあってさ」

「まぁそういう話に嫌らしいもんは付きものだろうぜ」

「いやいや、それだけじゃお嬢さんが蔵書を整理する理由にならないだろ。どうにもかなり不利な買収劇でけっこう社員が首切られるらしいんだよ」

皆がうんうんと頷きます。

「でもぉ、それも珍しい話じゃないねぇ」

「でも、向こうの社長がね希美子さんとの縁談を条件に手心を加えようって話を匂《にお》わせたらしいんだね」

皆が一斉に顔を顰めました。

「やな奴だねーその社長」

花陽です。あんまり子供には聞かせたくない話ですがしょうがありません。

「LOVE がないねぇ」

我南人がつみれを自分の取り皿に取りながら言います。我南人はポン酢にコショウを入れるのですよ。

「政略結婚じゃねぇか」

「で、それはあんまりだってんで、希美子さんのお父さんはもちろん断って、首を切られる社員になるべく退職金とかを残すために自分の資産も処分するって話さ。だからあれだけの蔵書も整理するって話でね」

「なるほどねぇ」

世間的にはよくある話ですね。古本屋の商売としてもよくある話ですよ。商売の資金繰りに困って放出される蔵書の中に、掘り出し物がたくさんあるのです。

「じゃあ、なんとか高く買い取ってあげたいわね」

藍子がポン酢にキムチを入れた取り皿にネギと白滝を入れながら言います。このキムチはご近所の在日韓国人の方にいただくもので、そりゃあ本場の味でとても美味《おい》しいんですよ。

「そうですよね」

亜美さんが言いますが、勘一がうーむと唸ります。

「とは言ってもなぁ」

古本屋も儲《もう》かる商売じゃありませんからね。そうそう高いものをほいほいと買い取れるわけではありません。皆がうーんと言いながらも鍋の方に箸《はし》を伸ばします。

「皆が皆、幸せに毎日を過ごせればいいんですけど」

すずみさんがごまだれの取り皿にお肉を入れながら言います。本当にそうですね。

「あぁ、それでさ、康円さんの方なんだけど」

「康円がどうしたよ」

「あ、まだ話してなかったっけ。浮気してるって話」

「康円がぁ？」

そうでした。勘一が寝ているときに葉子さんが来て言ったのですよね。紺が説明してあげました。

「で？」

「浮気の現場は摑《つか》んでいないんだけど、葉子さん以外の女性と最近会っているのは本当だった」

「あらぁ」

いやでも、と青がポン酢に七味を入れた取り皿に水菜を入れながら言います。

「浮気って感じじゃなかったんだよなぁ。その女の人ね、康円さんの同級生なんだよ」

「同級生？」

「高校時代のね」

「へー」

なんですか、非常に楽しげに話はしているものの、男と女の云々の気配はどうも感じられないと青は言います。その辺は得意ですものね。青がそう言うのなら、浮気ではないのかもしれません。

「じゃあ放っておいていいんじゃねぇか？　なんか用事があったんだろうよ。葉子さんもそれで納得させろよ。あの堅物が浮気なんかするわけねぇよ」

「そうかもね」

「でも」

亜美さんはごく普通にポン酢だけです。

「最近、会い始めたってことは何か理由があるんですよね。そこのところだけははっきりしておいた方がいいんじゃないですか？」

そうだねぇと皆が頷き、引き続き青が調べることになりました。

あら、〈はる〉さんの方にマードックさんが来てますね。紺と青もそこに居ます。

「一応言っておこうと思ってさ。すずみさんの居ないところで」

紺が青のお猪口《ちょこ》に徳利を傾けながら言っています。あぁ、どうやら冬に結婚してはいけないという例の家訓の話ですね。マードックさんが小首を傾《かし》げます。

「かくん、というのは、たいせつなものなのですよね」

「そうでもないけどね。今の時代じゃ」

「でも、イギリスにも、そういうのはありますよ。イギリス人、ふるいもの、たいせつにしますね。そういうひと、おおいです。にほんじんとつうじるもの、ありますよ」

「そうかもね」

真奈美さんがことんと小鉢を置きながら青に言います。

「で、どうするの？　結婚式」

うーんと青が唸ります。

「紺ちゃん、どう思う？」

紺も唸ります。

「まぁ無視してもいいと思うよ。じいちゃんだって、せっかくの目出度いことに水差されちまったって困っていたしね。むしろお前が絶対予定通り結婚するって突っぱねた方がいいんじゃないかな」

「そうね。勘一さんの性分ならそうかも」

「ぼくも、そうおもいますね。かんいちさんにまかせると、かなりなやむとおもいますよ。いままで、かくんはぜったいってやってきたのでしょう？　いまさらまげることはできないし、かといって、アオちゃんとすずみさんのしあわせに、みずさすのはつらいとおもってるだろうし」

そうだなぁと青がお猪口を口に運びます。

「でも、家訓を守ってやった方が喜ぶだろうし、俺がじゃあ春まで延期するよって言えば、じいちゃんも納得するよね」

「まぁそれはそうだけどな」

「アオちゃん、やさしいですね」

そうですね。なんだかんだ言って、皆、勘一の気持ちを大事にしようとしています。

「でもね」

真奈美さんです。

「自分の思う通りにするっていうのも、若い人の特権よね。それを認めてあげるっていうのも年寄りの度量よね」

良い事言いますね、真奈美さん。その通りです。

「なーんて、これ我南人さんの受け売りなんだけど」

「親父の？」

「ガナトさんの、いいそうなことですね」

青がうーんと唸りました。

「迷うなぁ、くそぉ。迷ってる時間なんかないんだけどな」

三人で頷きながら、お酒を飲んでいます。まぁ難しい問題ですけど、こうして悩めるというのも、ひょっとしたら嬉しいことなのかもしれないですね。

四

日曜日です。朝から陽射しが強くて、この時期にしては記録的に暖かい日になりました。冬物のセーターなど着てると汗を掻《か》くぐらいですよ。

昼ご飯を食べ終わった研人が近くの公園のベンチで、友達と遊んでいます。どうやらなんとかカードをやっているようですね。サチが一緒に綱に繋がれて傍に寝ています。どうやらサチは研人がお気に入りのようで、なんだか嬉しいじゃありませんか。

「研人くん」

公園の入口から研人に声を掛けたスーツ姿の人が居ます。誰かと思えば藤島さんじゃないですか。研人も藤島さんのことは知っています。近くにやってきた藤島さんにぺこんと頭を下げます。

「こんちは」

「こんにちは。デュエル・マスターズ？」

「知ってる？」

「もちろん。僕もデッキ持ってるよ」

「へー」

研人が嬉しそうに顔を輝かせました。藤島さんまだお若いですしね。それにいろいろと遊んでいるようですからお詳しいのでしょう。

「おじいちゃん、どう？　具合は？　これからお店に行こうと思ったんだけど」

「大分良くなったよ。まだ寝たり起きたりしてるけど」

「そっか。良かった」

研人が、カードを操る手を止めて、はたと藤島さんの方を見ました。藤島さん、なんだい？　という顔をして研人を見ます。

「藤島さん、お金持ちだよね？」

笑います。確かにそうでしょうね。

「まぁ、そうかな。普通の人よりはたくさん稼いでいるかも」

「前に、家の古本全部買おうとして、大じいちゃんに怒られたよね？」

「そうだね」

苦笑して答えます。研人はにいっと笑いました。あぁこの笑顔は花陽にそっくりですね。何かを思いついた顔です。

「ねぇ、いい話があるんだけど、一口乗らない？」

「は？」

まったく何という口の利き方をするんでしょうこの子は。勘一に殴られますよ。さて、何を思いついたのでしょう研人は。

午後も三時を回りました。青が何か渋い顔をして外出から帰ってきましたね。

「おう、お帰り」

「お帰りなさい」

「ただいま」

店番をしていた紺と、カフェの方から紺にコーヒーを持ってきていた藍子が迎えました。

「どうだった？　なんかわかったのか？」

紺が訊きます。康円さんの件を調べに行っていたはずですが。何かわかったのでしょうか。店に人が居ないのを確認して、青が帳場に腰掛けました。

「例の康円さんの同級生っていう女の人さ」

「うん」

「芸能関係の人だったんだよね」

「芸能関係？」

「芸能プロダクションの事務所の社長さんだった。なかなかやり手のおばさんらしいよ」

紺と藍子はへぇと頷きます。芸能関係と言えば、まぁ我南人もそうでしょうけどね。

「俳優さんの方の事務所だからね。親父の方とはあんまり付き合いがないだろうけど」

「そうかもな」

「何ていうところなの？」

「えーとね」

青がポケットからメモ帳を取り出しました。

「浅羽《あさば》事務所。そのおばさんが浅羽さんっていうからそのまんまか」

「有名なところなのか？　売れてる俳優がいるとか」

「黒田充が居るよ」

「へー」

「あと、折原美世とか、渡邉彩予子《わたなべさよこ》とか」

わたしは知らない方ばかりですね。紺と藍子がいちいち驚いていますから、有名な俳優さんばかりなのでしょう。

「あと、これがいちばん大物なのかな？　俺はよく知らないけど」

「誰？」

「池沢百合枝」

藍子の顔が凍りつきました。わたしも驚きましたが、幸い紺と青は藍子の表情の変化に気づきませんでした。

「大物だな。日本を代表する女優だろう」

「そうだって話だけど、実際俺は映画観てないんだよなーこの人。テレビに出ないからわかんねぇよな」

「俺もだ。まぁ親父ぐらいの年齢の人だろうな、よく知ってるのは」

藍子が動揺を隠しながら頷いていますね。さぁこれはびっくりです。何か関係してくるんでしょうか。

「で、なんでその社長さんが康円さんに会っているんだ？」

「何かを依頼しているのは間違いないようなんだけど」

「依頼」

青が頷きます。

「そこの事務所のお姉ちゃんにいろいろ探ったんだけど、とりあえず何かを頼んでいるのは間違いない。でも色っぽい話ではないみたいだな。あくまでも同級生だっていう昔のよしみで頼んでいるみたいで」

「ふーん。でもそれが何かはわかんないんだよな」

「うん。ここまでかなって感じ。あとはなんだったら親父かじいちゃんが康円さんに直接当たるのがいいかもね。浮気じゃないのは間違いないみたいだし」

藍子が、紺と青の会話を聞くのも上の空に、何かを考えていますね。さて、何を思いついたのでしょうか。

「ごめんください」

「あぁ、藤島さん。いらっしゃい」

藤島さん、さっきは研人と何か話していたようですが、研人は居ませんね。まだ友達と遊んでいるんでしょう。

「どうですか？　ご主人」

「だいぶ、いいみたいですよ。ちょっと見てきましょうか」

紺が奥に引っ込んでいきます。すぐに勘一の声が弱々しくですが、響きました。

「おぅ、入ってこいや」

藤島さん、ほっとした顔をして家の中に失礼しますと入っていきました。

「なんだぁ？　研人が？」

驚きましたね。紺も藍子も呼んでお話があると言うので何かと思えば、あの上本希美子さんのところのお話です。どうやら研人が話していたのはそのことだったようですね。

藤島さん、笑顔で頷きます。

「何ですか、研人くんの話だとすごい掘り出し物もあるそうじゃないですか」

「まぁそうですね」

藍子が答えます。

「そういう事情なら高額で買い取ってやりたいのが人情ですよね」

「おめぇの口から人情って言葉が出るとはね」

紺がまぁまぁと勘一をいさめます。藤島さん、もちろんＩＴ関係のお仕事なんですが、株の方でも相当稼いでいらっしゃるとか。勘一はそういう何もしないで、まぁ何もしないというのも偏見なんですが、お金を儲けるのをとことん嫌いますからね。

「ご主人」

藤島さん、少し真面目な顔になります。

「僕だって人間ですからね。困っている人を助けたいという気持ちだってありますよ。それに古本が絡んでくるとなると、うずうずしてきますよ」

「だからって、どうするんだよ。おめぇが全部買い取るってか。そういうのは許さねぇと最初に言ったのをもう忘れたのかよ」

藤島さん、きっぱりと否定します。

「忘れてませんよ。だから今もこうしてこちらに通っているんじゃありませんか。本は、一冊一冊収まるべきところに収まるものだ。金にあかせて売り買いしたって、そこに本に対する愛情はない。本は物とは違う」

「わかってるじゃねぇか」

「ですから、これは商売のお話にしましょう」

「商売？」

藤島さん、力強く頷きます。

「その、上本さんでしたか？　その方の蔵書にすべてご主人の方で好きなように売値を付けてもらいます。もちろんその売値はご主人の判断ですね。その金額で、すべて僕が買い取りましょう。買い取った後は、全てこちらにその本の管理を委託します」

「管理委託？」

「買い取ったのだから、あくまでも、僕の本です。でもそんなにたくさんの蔵書を保管しておくところはないですから、それをこちらで管理していただきたい。もしその僕の本を買いたいという方がいたら適正価格で〈東京バンドワゴン〉に買い取っていただいて、販売するというのはどうです」

藤島さん、にこっと笑います。紺も藍子も天井を向いて考えています。勘一はぎょろりと藤島さんを睨《にら》みました。

「ってことはよ。たとえばだ、ある本に俺が売値五万の値をつけたとするわな」

「はい。でしたら僕は五万で買い取ります」

「で、その本はうちに置いとくわけだ。その本を買いたいって奴が出てきて、その本の仕入れ相場は二万だ、と俺が言ったら、おめぇは二万でうちに売るってわけだな」

「そうですね」

勘一がさらに藤島さんを睨みます。

「全然商売じゃねぇよ。大損じゃねぇか。商売人がそんなことしてなんになるよ」

「心意気です」

「心意気？」

藤島さん、頷いて言います。

「ご主人、僕の商売を誤解しているかもしれませんが、うちはコンピュータの、プログラミングの技術力を買ってもらう仕事なんですよ。いわば、職人の集まりなんです」

「職人」

そうです、と言って続けます。

「良いものを作って、世の人に使ってもらいたい。より良いものを作りたい。それは万国共通の職人の心意気ですよね？　もちろん商売ですから儲けるためにあの手この手は使いますけど、根っこのところではそういう気持ちでやっているんです。僕は、ご主人の本を愛する心意気に惚《ほ》れてここに通っているんです。今度は僕の心意気に感じていただきたい。そういうところをご主人に見せたいっていう気持ちを汲《く》んでくれませんか」

勘一は、また藤島さんを睨みつけて、でも、その後にニヤリと笑いました。

「気持ちを汲んでくれ、なんて自分で言っちまうのがまだまだだ」

「すいません」

「しかしまぁ話はわかった。乗ろうじゃねぇか。お前さんのその心意気ってやつを買ってやるぜ」

藤島さん、ホッとして笑います。

「ありがとうございます！」

藤島さんが帰っていくのを皆で見送りました。紺が改めて上本さんの蔵書リストを作り、それに勘一が売値を付けて、それを藤島さんに知らせるということになりました。

「好きなように売値を付ける、っていうことは、相場より高く付けてもいいってことを藤島さん言いたかったんだよ」

紺が言うと、勘一は苦笑します。

「わかってるよ、んなこと」

「いい人じゃない。藤島さん」

「まぁ金持ちが貧乏人を助けてやるのは当たり前のこった」

勘一が憎まれ口を叩《たた》きますが、まぁこれで少しは藤島さんに手心を加えてあげられますかね。本を買う度にレポートださなきゃならないなんて可哀相でしたしね。

研人がただいまー！　と元気よく帰ってきました。

「ねぇ、大じいちゃん、藤島さん、来た？」

「おう、来たぞ。なんだか研人が余計な事言ったんだって？」

「そう」

「大人の事情に口を突っ込むんじゃねぇ、と言いたいところだけどな」

勘一がにやっと笑って研人の頭を撫《な》でると、研人がへへーと笑います。

「でもちゃんと勝負したんだよ。負けたら言うことを聞くって」

「勝負？」

皆がきょとんとした顔をします。

「勝負って、なに？」

藍子が訊きました。

「デュエル・マスターズ、強いって言うからさ。じゃあ僕と勝負して負けたらその可哀相な人の本を全部買ってよって言ったの」

あらまぁ、そんなことをしたのですか。

「研人が負けたらどうなったんだ？」

「僕が大じいちゃんに、いつも一冊じゃなくてせめて二、三冊いっぺんに買えるようにしてくださいって頼んであげるって」

皆が大笑いしました。

「あの野郎。何が心意気だ」

＊

その日の夜です。

仕事を終えた藍子が、我南人にちょっと話があるので食事の後に付き合ってほしいと言いました。さらに藍子は、紺にもこっそり声を掛けました。

「あとで話があるから」

「何の？」

「青ちゃんのことで」

何かわかりませんが、藍子の真剣な表情に紺も頷きました。

何処へ行こうというのですかね。藍子と我南人が連れ立って出かけました。

「どこ行くのぉ？」

我南人が訊くと、康円さんのところだと言います。

「康円のぉ？」

我南人は少し考えます。

「例の浮気ってやつ？」

「それも、ひとつね」

どうやら事前に康円さんと連絡を取っていたようで、藍子は神社の裏の康円さんの自宅ではなく、そこから少し歩いたところのバス通りにあるファミレスに入っていきました。おや、個室に案内されましたね。予約していたのでしょうか。我南人が椅子《いす》に座りながら言います。

「ってことはぁ、聞かれたくない話をするんだねぇ」

「そうね」

藍子たちがついてすぐに康円さんも一人でやってきました。少しばかり表情が硬いですね。飲み物を注文して、ウェイターさんがそれを持ってくると、藍子はすぐに話し始めます。

「康円さん」

「はい」

「単刀直入に言いますけど、奥さん、康円さんが浮気していると疑っているんですよ」

康円さん、眼を丸くして驚きました。

「なんですって？」

「浅羽さん、という同級生の方と最近お会いしてますよね？」

ますます眼が大きくなりました。

「冗談じゃない！　浮気なんかじゃありませんよ！」

「そうですよね」

あっさり藍子が肯定したので、康円さん、少し気抜けした顔をします。さて、どうやら藍子は何か摑んでいるようですね。

「お父さん」

「何ぃ？」

「お父さんにはまだ話していなかったけど、康円さんが最近会っているという同級生の方、実は池沢百合枝さんの事務所の社長さんなの」

「そうなのぉ？」

　今度は我南人がびっくりです。

「どうして、それを」

「調べたんですよ。もちろん」

　もちろん康円さんは我が家の家訓を知っていますからね。あぁ、と大きな溜息をつきます。

「実は、康円さんがあの本を持ってきたときに、何か変だなと思ったんです」

「どうしてぇ？」

「だって、康円さんなら、あの本を見つけたとしても結婚式が終わるまで隠しておきますよね。康円さんはそういう人だって、私たち知ってますよ。わざわざ波風立てる必要もない。全部終わってから、実はこういう本を見つけたよ、と笑い話にしてくださる方だって」

　そういえば、そうですね。

「祖父のお見舞いに来てくれたときにも、さりげなく延期を匂わせましたよね。そのときも少しだけ引っ掛かったんです。いつもの康円さんなら、無理にでも病院に連れてって治させて、式に出なさいと言うのになぁって」

　なるほど、それもそうです。

「それで、浮気の話でしょ。相手が池沢百合枝さんの事務所の社長さんだって聞いて、ピンと来たんです。これは繫がっているんじゃないかって」

康円さん、不思議な顔をしています。わたしもよくわかりませんね。

「康円さん、お友だちの浅羽さんから、日取りをずらしてくれと頼まれたのでしょう？　青の結婚式の日に、何か神社を、例えばロケとかに使いたいからなんとかしてくれないかって」

「どうしてそれを」

康円さん、またしても驚きです。

「絶対に秘密だと言っていたのに、それも調べたんですか？」

藍子は首を横に振ります。

「想像です。でも、それには理由があるんです。お父さん、ここから先を説明するには、あのことを康円さんに言わなきゃならないんですけど」

我南人は何やら指を振りながら考えていました。

「なるほどねぇ。そういうことかぁ」

うんうんと頷きます。

「康円ちゃん」

「はい」

「その浅羽さんって人、ひょっとしたら、青の結婚式はこの辺がいいんじゃないかって指定してこなかったぁ？」

我南人にぎょろりと睨まれ観念したんでしょうか、康円さん素直に頷きました。

「まいりましたね」

苦笑して、我南人と藍子を見ます。

「実はですね。浅羽さんは、高校時代の彼女だったんですよ」

「あら」

まぁそうでしたか。

「卒業してすぐにふられたんですけどね。それからほとんど交流はなかったんですが、突然連絡してきまして。十二月二十日に神社を貸してくれないかと。もちろん断りましたよ。既に予定が入っているので、それはできないと。向こうがキャンセルしてきたのなら話は別だけど、今の段階ではできない。そう言いました。ただですね」

「また無理に頼んできたんだねぇ？」

「どうしても、どうしても必要なことなのだと。ただの仕事じゃない。私の人生にも関わることなのだと。今は事情を説明できないのだけど、昔のよしみで、一度は好き合った者の願いを叶《かな》えてくれないかと、涙ながらに訴えられまして。その様子からもこれは只事《ただごと》ではないのだなと」

「それであの本を」

康円さん、力なく頷きます。

「あれは随分前に見つけていたものなんですよ。でも、あの〈冬に結婚するべからず〉という家訓の部分だけは、私が書いたんです」

なんとまぁ。そうでしたか。もちろん康円さん達筆ですものね。字を真似ることぐらいは朝飯前でしょう。

「浅羽さんには説明しました。私にできるのはここまで。昔から付き合いのある堀田さんにそれ以上の迷惑はかけられないと。これで堀田さんが延期をしてくれれば良し。してくれなかったら私にもどうしようもない。諦《あきら》めてくれと。向こうも納得していました。駄目だったのなら、それもまた運命なのだと諦めようと」

申し訳ありませんでしたと、康円さん深々と頭を下げます。我南人は、康円さんの肩をぽんぽんと叩きました。

「いいよぉ康円ちゃん、謝らなくても。君も案外 LOVE のために動くねぇ。嬉しいねぇ。男はそうでなくっちゃならないよ」

そうでしょうか。相変わらずこの子はわけのわからない事を言います。

「それに、その原因を作ったのはたぶん僕の方だから、謝るのはむしろ僕かもしれないねぇ」

「我南人さん、がですか？」

顔を上げた康円さんが不思議そうに言います。

「たぶんだけど、そうよね、お父さん」

「だと思うねぇ。間違いなく」

我南人は、パン！　と自分の腿《もも》を叩きました。

「これは、僕が会ってくるしかないかぁ。全部を丸く収めるためにはねぇ」

そういうことなんでしょうかね。やっぱり。

我南人にくっついてきましたけど、親とはいえ、やっぱり気が咎《とが》めますねぇ密会の現場に立ち会うのは。どうやらこちら、浅羽さんのお宅らしいですね。我南人がお邪魔してすぐに、ピンポンと音がして、出迎えた浅羽さんの後から池沢百合枝さんが現れました。

まぁやっぱり綺麗だこと。惚れ惚れしますね。

「じゃあ、私は向こうの部屋に行ってるから。ごゆっくり」

浅羽さんに言われて、池沢さん頷きます。居間のソファに座る我南人の向かい側に腰を下ろしました。

「お久しぶり」

「まったくだねぇ」

こんなときでも口調は変わらないんですねこの子は。

「十年?」

「さっき勘定したらねぇ、十一年ぶりだったねぇ」

「お元気そうで何より」

「お互い様」

テーブルの上に置かれたコーヒーを一口、池沢さん飲みましたよ、仕草の一つ一つが絵になってますね。やっぱりあれですね。女優さんというものは誰かを前にしているときには常にそうなんでしょうね。

「浅羽さんが、気を使ってくれて、いろいろとご迷惑掛けたみたいで、ごめんなさい」

「構わないよぉ。むしろ嬉しかったねぇ。君がそういう風に思っていたっていうのは」

池沢さん、少し恥ずかしそうに下を向きます。

「どうしても、その日は外せない仕事があって。浅羽さんもそれで何とかしようとしたみたいで」

「うん」

「遠くからでも、とつい言ってしまったのね。ごめんなさい」

我南人は首を振ります。

「いつもそうだったねぇ。遠くから遠くから。青を育てるための学資も何もかも君が出してきたってのにねぇ」

まぁ、そうだったのですか。池沢さん、淋《さび》しそうに首を横に振りました。

「お金で解決してしまうような母親ですよ」

「違うねぇ。そう言うと嫌らしくなっちゃうけど、LOVE の形は人それぞれだよぉ。君なりの LOVE がそこに籠《こ》もっていたんだよぉ」

それでも池沢さん、首を振りますね。

「まぁでも、そんな君がねぇ、こうして母親としての我儘を見せてくれたんなら、どうせならねぇ、もっと我儘を言ってもらおうかと思ってねぇ、来たんだよ」

「え？」

「遠くからじゃなく、近くに来てもらおうかなぁと思ってねぇ」

わからない、という表情をする池沢さんに我南人は言います。

「君が本当に我儘を言おうとしたらねぇ、外せない仕事なんかないはずだよぉ。だから君はまだ本当の我儘を言ってないのさぁ。言ってほしいねぇ、大女優の、いや母親としての我儘をねぇ」

「でも」

何か言いかける池沢さんに向かって、我南人は手のひらを見せて、にっこり笑いましたよ。

「LOVE をさぁ。一生に一度で、最初で最後で構わないからねぇ。君の青への、実の息子への LOVE を見せてもらおうと思ってねぇ。ありったけの LOVE を込めた、女優池沢百合枝の最高の演技をねぇ」

五

日本晴れです。

神様は若い二人に粋な計らいをしてくれましたようで、雲ひとつなく、おまけにぽかぽかと暖かい陽気になりました。

年の瀬も押し迫ってきまして、おまけに町はクリスマスの色一色に染まっています。

そんな中で、青とすずみさんの結婚式の日がやってきました。

「さぁ！　とっとと飯食って、皆準備しろよ！」

いただきますの声が終わるや否や、勘一の怒鳴り声が響きます。すっかり風邪の気も抜けまして、元気一杯です。

「ねぇおばちゃんたちも来るんでしょ？」

「留守番どうするの？」

「パーティの方でぇ、取材したいとか言ってた雑誌があったねぇ。どうする青？」

「来るわよ。埼玉のおばちゃんも、鳥取のおばちゃんも」

「なんで取材が？」

「留守番は神田さんのおばちゃんが来てくれるって。皆の餌《えさ》も散歩もやってくれるって」

「僕の昔のバンドがライブやるからねぇ。それを観たいんじゃないかなぁ」

「いいからとっとと食えよ。ちゃっちゃと着替えてよ、皆で行くぞ」

口々に言い合う中で、我南人が一際大きな声を出しました。

「そうそう、忘れていたけどねぇ」

「なんでぇ大声で」

我南人が青とすずみさんの方を見て言います。

「今日の結婚式ね、特別なお客さんが来るから」

「お客さん？」

皆が訝《いぶか》しげな顔をします。

「ロケが入るんだよぉ。映画の」

「映画のロケ？」

「なんでぇそりゃ」

我南人が卵焼きを口に放り込んでから言います。

「知り合いに頼まれてねぇ。神前結婚式の様子を撮りたいんだって。結婚式をするのはエキストラでいいんだけど、その親族の中に一人女優さんを入れてね、撮りたいんだって。ちょうど青の話をしたらその中に交ぜてくれないかってねぇ」

皆がふーんという顔をします。

「あれか、エキストラ雇う金が浮いてちょうどいいってわけかよ」

勘一が言います。

「そうだねぇ。それに結婚式の記録も一流の映画のカメラマンが撮るわけだから、青とすずみさんにしてもいい思い出になるんじゃないかとねぇ。後でちゃんとテープをくれるって言ってたから」

「それはいいんじゃない？」

亜美さんです。

「邪魔になるものでもないでしょうしね」

藍子です。

「どうかなぁすずみさん。といってももういいよぉって言っちゃったんだけどねぇ」

青とすずみさんは顔を見合わせて苦笑します。

「いいって言っちゃったんなら仕方ないだろ」

「おもしろそうですね！」

花陽が興味津々の顔で訊きました。

「その女優さんって、誰が来るの？」

「花陽は知らないだろうねぇ。池沢百合枝さんっていうの」

勘一が飲みかけたお味噌汁を思わず吹き出しそうになりました。きたないですね。

「池沢百合枝って、あの池沢百合枝かよ！」

「そうなんだよねぇ」

青も亜美さんもすずみさんもびっくりしています。花陽と研人は首を捻《ひね》ってますね。当然でしょう。

「だから、極秘のロケなんだよぉ。知られちゃうと大騒ぎになるからねぇ。池沢さんは神社では、うちの控室にそっと入ってくるから、皆大騒ぎしないでねぇ。親戚《しんせき》のおばさんが来たと思ってねぇ」

なるほど。そういうことになったのですか。皆の様子からして知ってるのは藍子と紺のようですね。おそらくは康円さんも承知の話なのでしょう。

さて、わたしもきちんとしたいところですが、生憎《あいにく》とこの普段着のままで失礼させてもらいましょうか。

控室には、我が堀田家の面々が揃っています。皆正装して、少し緊張しているようですね。すずみさんは一応向こうの控室の方に行っています。叔母《おば》さんの家族が今日は来てくれることになっているのです。

すっと控室の襖が開きまして、和装のご婦人が入ってきました。きちんと礼を尽くした入り方に、我が堀田家の面々、ますます緊張しています。

「失礼いたします」

深々と下げられる頭に、皆も慌てて頭を下げました。

「この度は、ご無理申し上げて誠に申し訳ありませんでした。女優をやっております、池沢百合枝と申します。どうぞよろしくお願いいたします」

「こちらこそ、よろしくお願いいたします」

我南人が代表して言いました。それから、顔を上げた池沢さんに我南人が続けます。

「ここに居るのが、今日式を挙げます愚息です。青と言います」

池沢さん、青に向かいました。そして、映画で観るのと同じ笑顔でにっこりと微笑みます。

「この度は、本当に、おめでとうございます」

ゆっくりと、頭を下げます。そしてまたゆっくりと頭を上げて、微笑んで青に向かって言いました。

「どうぞ、お幸せに」

「ありがとうございます」

青も頭を下げます。

「お天気が良くて、よろしゅうございましたね」

「そうですね、助かりました」

「せっかくの佳き日に、わたしのようなものが親族の席に並ぶことをお許しくださいね」

青が何か言いかけましたが、勘一がいつもより高めの声で先に言いました。

「いやぁとんでもねぇ。むしろいい思い出になるってもんですよ。ねぇ天下の池沢百合枝さんが並んでくれるってんだ。向こうの親族の方も後で大騒ぎするでしょうよ」

かっかっかと笑い、他の皆も笑顔で頷きます。我南人も藍子も調子を合わせていますね。


式が始まりました。

康円さんの祝詞《のりと》を聞きながら、並んだ親族たちはそれぞれに神妙な面持ちです。

それにしても、池沢さんはさすがですね。動きに無駄がありません。その態度にも、何の迷いもありません。放っておいたとはいえ、自分が産んだ息子に愛情を持っているのでしょう。こうしてやって来たのですから、胸に募るものはいろいろあるはずですよ。でもねぇそれを微塵も感じさせませんよ。

そう思っていたんですよ。

ですけどね、青とすずみさんが三三九度を交わしているときです。皆がそこに注目しているとき、堀田家の末席にいた池沢さんの表情が僅《わず》かに崩れました。持っていた白いハンカチをゆっくり上げて、そっと目尻にあてました。映画で見慣れたあのきれいな瞳《ひとみ》が潤んでいました。

もちろん、演技ではありませんね。カメラはそのとき三三九度の様子を撮っていたのですから。


式も終わりました。

この後、境内で記念写真を撮るのですが、その前にいったん控室に戻ってきたところで、池沢さんが我南人の方に向かって言いました。もうすでに照明さんやカメラマンさんは出ていってます。

「本日は、本当にありがとうございました。お蔭様《かげさま》でいい撮影ができました」

皆も頭を下げます。

「では、慌ただしくて恐縮ですが、お礼はまた改めまして。本日はこれで失礼いたします」

頭をすっと下げて、池沢さんが帰ろうとしたところ、勘一が呼び止めます。

「あぁ、池沢さん」

池沢さん、立ち止まり笑顔で振り返ります。

「はい？　なんでしょうか」

「いや、お忙しいとは思うんですがね。どうでしょう、すぐに記念写真を撮るんだが、一緒に入っちゃくれねぇかな」

池沢さんが少しだけ驚いた顔を見せましたが、すぐに申し訳なさそうな笑顔になりました。

「でも、記念写真は後々残るものです。部外者のわたしがいてはせっかくの記念のものが」

「いやいやぁ」

勘一が手を振ります。

「どうせ何枚か撮るんだから、親族だけのは撮っておいてさ。その中に一枚池沢さんと一緒に撮ったものがあったって困りぁしねぇさ。もし一分でも二分でも時間があるんだったらさ、記念にお願いできねぇかい」

池沢さん、少しだけ迷うふうにして、我南人の方を見ました。我南人もほんのわずか頷いたのに気づいた人はいないでしょうね。

池沢さん、あの花のような笑顔でにっこりと笑いました。

「皆さんにお許し願えるのなら、ありがたくご一緒させていただきます」


境内の方には、もちろん祐円さん、マードックさん、真奈美さん、おやケンさんも居ますね。脇坂さんも来てくれました。藤島さんも茅野さんも顔を出してくれたようです。後で皆も入ってもらって写真を撮るといいでしょうね。

まず最初に、お忙しい池沢さんを入れて、一枚撮ることになりました。後ろのいちばん端に並んだ池沢さんを、勘一が慌てて呼びます。

「池沢さん！　どうせ撮るんならよぉ！　こっちこっち、俺の隣に来てくれよ！」

向こうのお家の方もくすくすと笑います。

「おい藍子、どうせなら美人を一番前にしろよ。我南人の隣に池沢さんに座ってもらえ。その方が華があっていいってもんだ」

藍子が肩を竦《すく》めながら笑って席を立ちました。

「華がなくてすいません」

皆が笑うなか、恐縮する池沢さんが、我南人の隣に座ります。なんでしょう、これで青と我南人と池沢さん、親子がぴったりと収まってしまったわけですね。

まぁ、見てください。なんていい絵じゃありませんか。ねぇ。

天国の秋実さんには、いずれわたしが謝っておきますよ。

*

「あれ、じいちゃん」

紺が仏間に座ったと思ったら、〈はる〉さんにいるはずの勘一がやってきました。手にはお酒を抱えていますね。

「なんでぇ、ここにいたのか」

「ばあちゃんに、お疲れさまを言おうと思ってさ」

「そうかい。俺もさ」

勘一は、お猪口にお酒を注《つ》いで、仏壇のところに置きます。

「まぁいい式だったな」

そうですね。なにやらほっとしてしまいました。あら、なんでしょう我南人も帰ってきたようですね。

「なんだ、パーティのライブはどうした」

「もう終わったねぇ。あとは若者たちにまかしておくよぉ」

そうかい、と頷いて、勘一はまたお猪口を持ち出して、紺と我南人にお酒を注いで回ります。

「ほい、お疲れ」

「お疲れさま」

紺が、嬉しそうに笑います。

「なんでぇ気持ち悪い笑い方しやがって」

「じいちゃん」

「おう」

「じいちゃん、別に池沢さんのファンでもなんでもなかったよね」

「まぁな」

「その割りには、今日はなかなか張り切ってたね」

「そうか？　そうでもねぇぞ。第一よ、男だったら美人さんは誰でも歓迎じゃねぇか」

「父さんの隣に座らせて写真撮らせたのは、ナイスだったよ」

勘一がとぼけた顔をします。どうやら、勘一も感づいていたのでしょうか。そうでしょうね、きっと。我南人は素知らぬ顔をして、お猪口をくいっと空けました。

「まぁあれだ青も馬鹿じゃねぇしな。あとはなるようになるだろうさ」

「そうだね」

我南人が、煙草《たばこ》に火を点《つ》けて、ふぅと一息煙を吐き出します。

「これで、あれだねぇ。藍子がイギリスに行けばそれで一段落かなぁ」

そうですね。あとは花陽と研人が大きくなるまで間が空くでしょうか。ところが勘一が眉《まゆ》を顰《ひそ》めました。

「なんでぇ、イギリスって」

「あれ？　聞いてなかったの？」

「あれぇ、話してなかったぁ？」

「聞いてねぇよ。まさかマードックの野郎と一緒にイギリスへ行くってことじゃねぇだろうな」

そうなのですよ。

「そうなんだよ。向こうで二人展をやろうって話で」

「馬鹿野郎、二人展だか毘沙門天《びしゃもんてん》だか知らねぇけどよ。結婚もしてねぇ二人が手に手をとって海外旅行もないだろうよ。おいマードックの野郎〈はる〉に居たよな。ちょっと呼んでこい！　あの野郎！　藍子も一緒にだ！」

やれやれですね。紺も我南人も苦笑いします。

落ち着いたと思ったのですが、まだまだ騒がしさは続くようです。まだ当分はわたしもここに居られるのかもしれませんね。

あの頃、たくさんの涙と笑いをお茶の間に届けてくれたテレビドラマへ。

解説

百々典孝

とうとう、この日がやってきた！　二〇〇六年四月二五日の開店前、新刊を積み込んだトラックが到着するや否や、僕は丁重に、そして勢いよく新刊が詰まった大量のダンボール達を荷台から引きずり下ろした。春だというのに大汗をかきながら、その新刊の山を掻き分け『東京バンドワゴン』を取り上げる。初孫の誕生に立ち会ったお祖父ちゃんのような心境で腕の中のその姿に思わずにやけてしまった。瀟洒《しょうしゃ》でいて見目麗しく、派手でもないが地味でもない。これが一目ぼれってやつか。さすがアンドーヒロミ氏と鈴木成一デザイン室。と、細い目を更に細めて、ひとしきりニヤニヤしつくすと初回注文分を抱きかかえ、予め用意していた文芸書売場の一等地にズラッと展示した。「少し目立ちすぎか。押し付けがましい印象をお客様に与えてないだろうか」と危惧しつつ「そんなことは無い。僕にはこの作品が老若男女どんなお客様が手にとっても絶対に損はさせない自信があるのだ。たとえ半信半疑でお買上になったお客様もきっと満足できる一冊のはず」とやはり文芸書売場一等地で『東京バンドワゴン』発刊記念、小路幸也著作コーナーを作った。何となく違和感を覚え、一歩下がって文芸書売場を文芸担当者と眺める。

当時の文芸書売場は、リリー・フランキーさんの『東京タワー』が本屋大賞2006を受賞、売れに売れまくって発行部数が二〇〇万部を越す大ベストセラーになっていた。また、劇団ひとりさんの『陰日向に咲く』は緻密な連作短編で、とてもお笑い芸人とは思えない、その多才ぶりが話題となり問い合わせが殺到。荻原浩さんの話題作『明日の記憶』は映画化が発表され売上に拍車がかかっていた。奥田英朗さんの直木賞受賞作となった精神科医伊良部シリーズ三作目『町長選挙』が発売となり、加藤廣さんの話題作『信長の棺』の続編にあたる『秀吉の枷』が発売。翌月には『ハリー・ポッターと謎のプリンス』が控えている。後にいずれの作品も映像化となった話題作達で活気に溢れた、そしてその展示の仕方次第で話題作品達の売上が大きく変わる。そんな文芸書売場だったのだ。

その売場状況の中で、先の話題作達と肩を並べる作品と信じてはいても、商品的には売れるかどうか分からない『東京バンドワゴン』の一等地での展示は、話題作品達の売り損じこそ恐れるべきであり、（あんまり）やってはいけない事。書店員的には計数感覚の乏しいアホの所業である（といわれても仕様があるまい）。

しかし当時の僕はこう思った。この作品はいずれシリーズ化されるに違いなく、そして映像化されるはずである。その時、シリーズ一作目をどれだけ読者にアピールしていたか、どれだけ自店のお客様に読んで頂いていたか、があとあと取り返すことのできない大きな売上の差となって書店に返ってくるはずなのだ。だからたとえこの時期であっても『東京バンドワゴン』のコーナーは決して間違いではないはずなのだ、と何度も自分に言い聞かせた。

僕がそう信じ、書店員として力を入れずにいられない理由は『東京バンドワゴン』を既にお読みになった読者ならいともたやすくご理解いただけたでしょう。

後に、「紀伊國屋書店本町店文芸賞2006」受賞。（大阪の紀伊國屋書店本町店で、行っているフェア。その年に出版された文芸作品の中から25作品選出し、その中からお客様に面白かった本を投票して頂き、最も得票数の多かった作品）

さらに「キノベス2006」第3位。1位はカズオ・イシグロ『わたしを離さないで』、2位、万城目学『鴨川ホルモー』に次ぐ第3位。（キノベス＝紀伊國屋書店全従業員から募集した実際に読んでみて面白かったのでお客様にぜひオススメしたい本ベスト30）

と、いずれもマイナーではあるが読者に最も近いと思われる視点での賞において好評価であっただけでなく、**我々、書店員が神とも仰ぐ書評家諸氏にも各誌、書評で取り上げて頂きましたが例外なく絶賛され、我々書店の売上にも大きく貢献**いただいた。

本作を集英社書籍販売部の村田氏よりゲラ刷りで送って頂いた時点では、まさか僕をここまでアホにさせる作品だとは予想もできず、著者の小路幸也氏についてはメフィスト賞受賞作家でファンタジックホラーを得意とする作家さん、程度の認識しかなかった。が、『東京バンドワゴン』を読み進めていくうちに、「寅さん」「釣りバカ日誌」「サザエさん」「寺内貫太郎一家」など〝食卓を囲みながら家族全員でみることのできるホームドラマ〟〝全国民に長く愛され支持され続ける作品〟の一作目が誕生する歴史的瞬間に立ち会った、と錯覚してしまった。僕はその感動と作品本来の持つ面白さとの合せ技で頭がすっかりやられてしまい、気が付くと、飲みに誘いに来た後輩をほったらかしにしてまで小路幸也様にファンレターを書いていたのだった。（内容は覚えていないが真夜中に書いたラブレターレベルの恥ずかしいものであったことは間違いない）

さて、今更ながら『東京バンドワゴン』なる小説は、なぜ僕をここまでアホにさせるのかを考えてみた。すると次の六つのポイントが高レベルで融合している結果である事が判明。

① 語り部が幽霊
② 個性が際立つ登場人物達（全員）
③ 舞台である古本屋「東京バンドワゴン」
④ 春夏秋冬の四作からなるミステリ的要素を含む連作短編

⑤　季節の移り変わりと共に変化していく家族模様

⑥　作品に一貫したＬＯＶＥ。

順を追って説明すると……。

①　これはこの小説の最大のポイント。「堀田サチ」は古本屋「東京バンドワゴン」三代目「堀田勘一」の妻。二年前に七六歳で死去。以降、幽霊となって堀田家を見守っています。巻き起こる様々な事柄を「神の視点」いや、「幽霊の視点」から見ている為、常に一人称で描かれている。その為、多くの登場人物達の心の動きや機微まで我々読者の第三の目となって伝えてくれるのだ。その上、曾祖母「サチ」の視点からは子や孫、曾孫に対する愛情が滲みでており、我々もまた、そのフィルターを通してストーリーを追っていく事になる。必然とその慈愛に満ちた安らぎに包まれ、幸福感に浸りながらの読書を堪能できるのだ。

②　巻頭の〝登場人物〟の多さにひょっとすると辟易とされる方もいるかもしれない。が、心配御無用。特に、六〇歳にして伝説のロッカー「我南人《がなと》」の行動や発言には型にハマッテいない人間が持つ独特の純粋さに心を打たれることになるでしょう。

③　しかし、この個性豊かな登場人物達も、それを収めている古本屋「東京バンドワゴン」という器の大きさなくしてはこれ程活かされる事は難しかったでしょう。築七〇年の古本屋「東京バンドワゴン」は古本屋とカフェが併設。店のあちこち

に初代が書き記した家訓が書いてある。「文化文明に関する些事諸問題なら、如何なる事でも万事解決」「本は収まるところに収まる」「食事は家族揃って賑やかに行うべし」などの一見奇天烈《きてれつ》な家訓でも堀田家はみな守ろうとしています。それ故に堀田家の廻りで起こる事件や謎を解決せずにはおれません。また、古本好きのIT企業社長が「本を全部買い上げる」と言うのに、勘一は激怒します。「本ってのは、収まるときにはその人の手に自然に収まるものなんだよ。(中略) 埃ひとつだって売りはしねぇ！」「まず、一冊買って、それについての感想文なりレポートなり書いてこい。それが良かったらまた売ってやる」。後日「はい、今日も持ってきました」と感想文を持って本を買いに来るIT社長。店主も店主だけど客も客。本に対する愛情が伝わってきます。書店員としてもお客さんとしてもこんなお店に惹かれます。しかもカフェには「藍子」と「亜美」の美人が二人。たまりませんねぇ。

④ストーリーは春、夏、秋、冬の全四話からなりそれぞれがミステリ要素を含んでいる為、一時も目を離すことができず、そのスピード感に酔いしれながら一気読みしてしまう事となります。

【春】百科事典はなぜ消える——では店先に現れては消える百科事典の謎を追いかけます。その真相と問題を解決する「我南人」の手腕に惚れない人間はいない事でしょう。さすが伝説のロッカー。

【夏】お嫁さんはなぜ泣くの――青の嫁になりたいと牧原みすずが現れ、堀田家の飼猫ベンジャミンの首輪に文庫本の切れ端が何度も巻き付き、花陽にはストーカーが……。

【秋】犬とネズミとブローチと――ある温泉旅館の大量の古本の買取に紺が鑑定に出掛けるが一晩で本の山と主人が消える。同じくして老人ホームから本を一冊持ち出した女性が失踪します。どちらも一体どこに消えてしまったのかと思っていた矢先に……。

【冬】愛こそすべて――青とすずみの結婚式の為に、我南人が、青の母親で愛人だった女性のところに出かけます。一方で漱石の『それから』の初版本を神主さんがみつけたのですがそこには先代が書いた家訓がびっしり。「冬に結婚するべからず」という一文が。さて……。

全ての短編中の謎を堀田家の個性的な面々が解決していきます。人に気を使った為、ややこしくなってしまったというような優しい謎、悪人が出てこない日常ミステリの醍醐味を堪能できます。堀田家のＬＯＶＥの力が謎を解く。

⑤花陽の父や青の生みの親が判明したり、亜美の実家との邂逅や青とすずみとの結婚。犬も増えましたね。そして家族がまた増えたりと……。あ、これは続編『シー・ラブズ・ユー』でした。それぞれの短編、限られたページ数に織り込まれる堀田家

の様子、家族模様を描ききるその手腕には驚かされます。長編一作品を一話の短編にギュッと圧縮させるツールをきっとお持ちなのでしょう。これからも続く「東京バンドワゴン」シリーズ、「サチ」と一緒に堀田家を優しく見守り続けたくなる事必至。

⑥ 何といっても我南人の「LOVEだねぇ」等のセリフ全てに人に対する愛情を感じずにはおれません。勘一はやはり江戸っ子ゆえ、照れ屋で、不器用で、ストレートに感情（特に優しさは）表現できないが、その根底にある人情と優しさで読む人の心をちくちく刺激する。ＬＯＶＥさえあれば大抵の事は解決できるし、この世は善意に満ちている事に何の疑いの余地も感じさせない。日常の生活で、ささくれ立ってしまった心の角を優しく削ってもらった。

『東京バンドワゴン』での「サチ」の幽霊視点は映像におけるカメラの視点と全く同じ。どんな場所でも行けちゃうし、家族だからこそ分かる心情の描写もサチの説明から細かく伝わってくる。だから小説を読んでいても、頭の中には場面、場面が映像として残るんでしょうね。巻末の「あの頃、たくさんの涙と笑いをお茶の間に届けてくれたテレビドラマへ」と小路幸也さんのメッセージが記されておりますが、まさに家族の絆が希薄になってきている今だからこそ僕は再び昭和のホームドラマを、家族全員で楽しめるこんなドラマを見てみたい。本屋はどちらかと言えば小説でしか表わせない世界を支持したい人種が多いのですが、これは別。『東京バンドワゴン』で涙と笑いと幸福感に浸りたい。どうにかなんないですかねぇ。

（どど・のりたか　書店員・紀伊國屋書店本町店勤務）

この作品は二〇〇六年四月、集英社より刊行されました。

引用出典
『二年間のバカンス　十五少年漂流記』ジュール・ヴェルヌ著
横塚光雄訳　集英社文庫

集英社文庫 目録（日本文学）

城島明彦　新版 ソニーを踏み台にした男たち
城島明彦　新版 ソニー燃ゆ
白石一郎　南海放浪記
城山三郎　臨3311に乗れ
辛　永清　安閑園の食卓 私の台南物語
新宮正春　陰の絵図(上)(下)
新宮正春　島原軍記 海鳴りの城(上)(下)
辛酸なめ子　消費セラピー
真保裕一　ボーダーライン
真保裕一　誘拐の果実(上)(下)
真保裕一　エーゲ海の頂に立つ
水晶玉子　自分がわかる、他人がわかる 昆虫＆花占い
杉本苑子　春日局
関川夏央　昭和時代回想
関川夏央　石ころだって役に立つ
関川夏央　新装版 ソウルの練習問題

関川夏央　「世界」とはいやなものである 東アジア現代史の旅
関川夏央　現代短歌そのこころみ
関川夏央　女流 林芙美子と有吉佐和子
関口　尚　プリズムの夏
関口　尚　君に舞い降りる白
関口　尚　空をつかむまで
瀬戸内寂聴　ひとりでも生きられる
瀬戸内寂聴　私小説
瀬戸内寂聴　女人源氏物語 全5巻
瀬戸内寂聴　あきらめない人生
瀬戸内寂聴　愛のまわりに
瀬戸内寂聴　寂聴 生きる知恵
瀬戸内寂聴　いま、愛と自由を
瀬戸内寂聴　一筋の道
瀬戸内寂聴　寂庵浄福
瀬戸内寂聴　寂聴巡礼

瀬戸内寂聴　晴美と寂聴のすべて1（一九二二～一九七五年）
瀬戸内寂聴　晴美と寂聴のすべて2（一九七六～一九九八年）
瀬戸内寂聴　わたしの源氏物語
瀬戸内寂聴　寂聴源氏塾
瀬戸内寂聴　寂聴仏教塾
曾野綾子　アラブのこころ
曾野綾子　狂王ヘロデ
デビット・ゾペティ　いちげんさん
髙樹のぶ子　ゆめぐに影法師
高　倉　健　あなたに褒《ほ》められたくて
高　倉　健　南極のペンギン
高嶋哲夫　トルーマン・レター
高嶋哲夫　M8《エムエイト》
高嶋哲夫　TSUNAMI 津波
高嶋哲夫　原発クライシス
高　杉　良　管理職降格

集英社文庫　目録（日本文学）

高杉良　小説 会社再建
高杉良　欲望産業(上)(下)
高野秀行　幻獣ムベンベを追え
高野秀行　巨流アマゾンを遡《さかのぼ》れ
高野秀行　ワセダ三畳青春記
高野秀行　怪しいシンドバッド
高野秀行　異国トーキョー漂流記
高野秀行　ミャンマーの柳生一族
高野秀行　アヘン王国潜入記
高野秀行　怪魚ウモッカ格闘記 インドへの道
高野秀行　神に頼って走れ！ 自転車爆走日本南下旅日記
高野秀行　アジア新聞屋台村
高橋治　冬の炎(上)(下)
高橋克彦　完四郎広目手控
高橋克彦　天狗殺し 完四郎広目手控
高橋克彦　いじん幽霊 完四郎広目手控

高橋源一郎　あ・だ・る・と
高橋千劔破　江戸の旅人 大名から逃亡者まで30人の旅
高橋三千綱　霊感淑女
高橋三千綱　空の剣 男谷精一郎の孤独
高橋義夫　佐々木小次郎
高見澤たか子　「終の住みか」のつくり方
高村光太郎　レモン哀歌―高村光太郎詩集
竹内真　粗《そ》忽《こつ》拳《けん》銃《じゅう》
竹内真　カレーライフ
武田鉄矢　母に捧げるバラード
武田鉄矢　母に捧げるラストバラード
武田晴人　談合の経済学
竹田真砂子　牛《うし》込《ごめ》御《ご》門《もん》余《よ》時《じ》
竹西寛子　蘭 竹西寛子自選短篇集
嶽本野ばら　エミリー
多湖輝　四十過ぎたら「頭が固くなる」はウソ

太宰治　人間失格
太宰治　走れメロス
太宰治　斜陽
多田富雄 柳澤桂子　露の身ながら 往復書簡 いのちへの対話
多田容子　柳生平定記
伊達一行　妖言集
田中啓文　異《い》形《ぎょう》家の食卓
田中啓文　ハナシがちがう！ 笑酔亭梅寿謎解噺
田中啓文　ハナシにならん！ 笑酔亭梅寿謎解噺2
田中啓文　ハナシがはずむ！ 笑酔亭梅寿謎解噺3
田辺聖子　オムライスはお好き？
田辺聖子　花衣ぬぐやまつわる…(上)(下)
田辺聖子 工藤直子　古典の森へ 田辺聖子の誘う
田辺聖子　夢渦巻
田辺聖子　鏡をみてはいけません
田辺聖子　楽老抄 ゆめのしずく

集英社文庫 目録（日本文学）

S 集英社文庫

東京《とうきょう》バンドワゴン

2008年4月25日　第1刷　　定価はカバーに表示してあります。
2010年6月6日　第6刷

著　者　小路幸也《しょうじゆきや》
発行者　加藤　潤
発行所　株式会社　集英社
東京都千代田区一ツ橋2-5-10　〒101-8050
電話　03-3230-6095（編集）
03-3230-6393（販売）
03-3230-6080（読者係）

印　刷　凸版印刷株式会社
製　本　凸版印刷株式会社

フォーマットデザイン　アリヤマデザインストア　　マークデザイン　居山浩二

ISBN978-4-08-746287-6 C0193